JAN 2009

МАРК
ЗАХАРОВ

Суперпрофессия

ВАГРИУС

МАРК ЗАХАРОВ

СУПЕРПРОФЕССИЯ

МОСКВА•ВАГРИУС•
2000

УДК 882-94
ББК 84.Р7
З 38

Издательство благодарит за
предоставленные фотоматериалы
А.Стернина и В.Плотникова

Дизайн серии Е.Вельчинского
Художник Н.Вельчинская

В совместном выпуске
с ООО «Издательство АСТ»
серийное оформление
переплета А.Кудрявцева

ISBN 5-264-00384-X

Когда издательство «Вагриус» предложило мне издать мои мемуары, я вскоре догадался, что после выхода в 1988 году в издательстве «Искусство» моей книги «Контакты на разных уровнях» и ее переиздания — в дополненном и несколько переработанном виде — в издательстве «Центрполиграф» в 1999 году, писать мемуары в ближайшие семьдесят лет мне категорически не следует. Лучше попробовать сосредоточить свое внимание на той загадочной и постоянно видоизменяющейся профессии, которая именуется режиссурой.

Переиздавая «Контакты на разных уровнях», я самонадеянно написал о своей производственной специальности как о «суперпрофессии». Эту главу, несколько видоизменив ее и дополнив, мне захотелось включить в новую книгу, и издательство «Вагриус», надо отдать ему должное, согласилось на такое повторение моих выстраданных чувств и расплывчатых воспоминаний.

В книгу, названную «Суперпрофессия», я включил также некоторые биографические мотивы, каких никогда не касался прежде, некоторые фрагменты из написанного по другому поводу — перебеливать эти страницы заново не имеет смысла хотя бы потому, что уже никогда я не смогу сформулировать свои мысли и наблюдения лучше, чем это когда-то получилось с разбега и сгоряча.

Огромный недостаток настоящего издания — почти

полное отсутствие подробных описаний моей интимной жизни с точным указанием списка лиц, которые вступали со мной в нетоварищеские отношения. Не хочу комкать столь распространенный ныне жанр мемуаристики, полагая, что это тема для отдельного объемного издания в том же издательстве.

В «Суперпрофессии» я время от времени занимаюсь собственным жизнеописанием, но очень непоследовательно, невнятно, недоказательно и непредсказуемо. Скорее, это ощущения благоприобретенной профессии, утопленные в потоке сознания.

ПЕРВЫЙ ПОТОК СОЗНАНИЯ

...Когда душили его жену,
он стоял рядом
и все время повторял:
— Потерпи.
Может быть, обойдется.
Е.Шварц. «Обыкновенное чудо»

Это — вместо предисловия. Но прочесть полезно, потому что обидно. Слишком часто я говорил себе и другим похожие слова. Слишком часто жил со всепоглощающим девизом «Авось». Похоже, не я один. Вместе со страной. Теперь мы вместе с ней жаждем объективного самопознания. О стране сейчас говорить не буду, а про себя думаю: не все так просто. Есть еще во мне что-то и прямо противоположное тому, что сказал Шварц.

ВТОРОЙ ПОТОК СОЗНАНИЯ

Кто я такой в своем окончательном виде, я понял сравнительно недавно. В 1993 году мне настоятельно порекомендовали сделать операцию шунтирования на сердце. Московское правительство или, правильнее сказать, мэр Москвы Ю.М.Лужков подписал распоряжение о спонсировании операции, и я вылетел в Германию в прекрасном настроении, потому что об операции старался во время полета не думать. Этому очень способствовали разного рода напитки, подаваемые на борту авиалайнера.

При коронарной разведке с помощью катетера, вводимого в сосуд, ведущий к сердцу, я, помнится, тоже не очень волновался. «Потерпи, — думал про себя, — может, еще обойдется... без операции». Хорошему самочувствию способствовал доктор-переводчик, который доносил до меня исключительно оптимистические фразы, произносимые немецким хирургом:

— Так, так, хорошо... замечательно... приближаемся к сердцу. А вот и сердце!

После этой фразы немец почему-то долго раздумывал и сказал потом что-то такое, что мне уже тогда очень не понравилось, даже по-немецки, без перевода.

А мой переводчик, подумав, высказался в том смысле, что сердечная мышца в очень, просто на редкость хорошем состоянии, как будто специально для операции.

Через несколько дней, когда пришла уверенность, что точно останусь на этом свете, я спросил у переводчика:

— А что это была за фраза, после которой вы долго искали литературный перевод? Что сказал немец?

— Немец тогда сказал: «Как же этот парень сюда долетел?»

— Почему же я, по-вашему, долетел?

Доктор-переводчик был допущен в операционную и видел, как из меня делали цыпленка табака. Он некоторое время раздумывал, потом честно признался:

— Есть, вероятно, у вас какие-то отличия...

— От нормальных людей?

— Да.

— То есть если бы на моем месте был нормальный, цивилизованный немец — он бы не долетел?

— Никогда.

— А я...

— А вы, как бы сказать, такой... упертый.

— Советский человек?

— Именно это я и хотел сказать.

Это было важным открытием для меня за последнее время. Никакой я не прогрессивный демократ, не одухотворенный либерал и не сторонник гражданского общества. Я — советский человек.

И дело не в том, что сказал мне об этом малознакомый врач. Там же, в Мюнхене, мучительно выбираясь из наркоза, я почувствовал такую боль при дыхании, что твердо понял — продержусь минут пять, от силы десять. Дальше надо сдаваться.

Врач в реанимации посочувствовал мне с помощью русскоговорящей медсестры и сказал, что боль нужно убирать самому постепенно, с помощью специально глубокого дыхания и главное — оптимизма. Дыханием я

9

должен заниматься сам, оптимизмом тоже, хотя на некоторое время мне помогут.

Я получил сильную дозу наркотика и, превозмогая боль, начал смотреть интересное кино. Поплыли и красиво расплющились стены в реанимации, и я стал мысленно посылать себе команды: «Оптимизма! Оптимизма давай!..»

Потом с нетерпением стал ожидать по меньшей мере слетающихся ангелов, их сводный хор, в крайнем случае «Аве Марию», но услышал только цокот копыт по брусчатке и в ушах радостно зазвучало:

Мы — Красная кавалерия, и про нас
Былинники речистые ведут рассказ...

Чуть позже я прослушал также:

Веди, Буденный, нас смелее в бой!

Вот оно, мое подсознание! Здравствуй! От такого подсознания сразу полегчало, потому что стало смешно. Бывало, думалось совсем недавно: уж не единомышленник ли я Бердяева со Станиславским? Нет. Оказалось — советский человек с набитыми его же оптимизмом советскими мозгами.

Это у меня предисловие. Второе, исповедальное. Дальше — главное.

СУПЕРПРОФЕССИЯ

Теперь самое время прикоснуться к режиссуре. И не просто как к профессии. Лучше обозвать ее суперпрофессией.

Режиссура — система созидания того, чего не знает Бог. (Произвольный вариант бердяевской формулы.) Режиссура в моем представлении — все сознательные и подсознательные воздействия на психику человека, все разновидности собственных намерений с превращением их в комбинации зримых материальных и энергетически ощущаемых процессов. Искусство режиссуры есть право и умение распоряжаться эмоциями и экономическими ресурсами людей, вовлеченных в подвластную автору стихию творения.

В еще более грубом, глобальном и даже космическом аспекте режиссура есть строительство принципиально новой собственной динамической конструкции, до конца не подвластной логике зримых событий, обладающей гипнотической заразительностью с очень сильным воздействием на подсознание человека.

Но разве не может быть режиссура откровенно прагматичной, тривиальной и старомодно-иллюстрированной? В основном таковой и числится, однако я пытаюсь рассуждать о режиссуре как о суперпрофессии.

Следуя этой наглой логике, можно и собственную земную жизнь заранее, хотя бы частично, соорганизовать как режиссерский сценарий с хорошо проработанными механизмами и четко определенными подвластными субъектами, вовлеченными в созидаемый тобою режиссерский замысел.

Режиссура высокого класса, достигающая уровня суперпрофессии, требует на определенном этапе (после наития) скрупулезно организованного инженерного планирования с огромным количеством самостоятельных творческих разработок. Режиссура еще и искусство вовлечения в формулируемый тобою процесс талантливых сотрудников с самостоятельным волевым, эстетическим и инженерным мышлением.

Режиссура далеко не всегда связана с театром или кинематографом. Сброс фашистских знамен к подножью Мавзолея на параде Победы в 1945 году — выдающаяся режиссерская акция. Однако подобного рода эмоциональные режиссерские «выбросы» могут иметь также и отрицательный ядовито-губительный эффект, в этом их глобальное своеобразие. Гитлер был выдающимся, всемирно признанным оратором, Геринг мало чем уступал ему в режиссерских построениях, воздействующих на огромные массы людей. Для меня совершенно очевиден режиссерский талант Григория Распутина, Иосифа Сталина или Шарль-Морис Талейрана.

Постановочное искусство тесно связано с лидерским талантом человека. Поскольку люди не могут быть уравнены в собственных возможностях и способностях, режиссура еще и способ выявления тех, кому дано направлять человеческие помыслы, созидать подсознательные импульсы для духовного совершенства или губительной деградации.

Опасно и то, и другое. Претензия на деяния по духовному совершенству ближних может привести не только к смешным глупостям, но и к опасным профессиональным заболеваниям. Психика человека, возомнившего себя выдающимся режиссером, очень часто не выдерживает, человек погружается в разного рода поведенческие аномалии и даже начинает писать книги. За примерами недалеко ходить.

Режиссура в ее нынешнем восприятии была изобретена в самом конце прошлого, XIX столетия как прикладной, чисто организованный свод правил для лицедействующих актеров с их нехитрыми мизансценами. Позднее сюда добавилось право определять основные команды на движение занавеса, света, звука, декорационных объектов и т.д. Важным событием для развития режиссуры явились команды: «громче», «тише», «быстрее», «задушевнее» и т.д. Позднее, уже на наших глазах, режиссура начала дробиться на самостоятельные направления и дисциплины. Появилась кинорежиссура, радио- и телережиссура, режиссура массовых зрелищ, режиссура стадионов, комнатная, сектантская, оперная, детская и др.

Режиссура в конечном счете — система программных импульсов, обязательно задевающих и воздействующих на психику возможных зрителей. Я говорю «возможных», потому что существует, правда в ограниченном количестве, и такая режиссура, которой зритель вообще не нужен. Он может только помешать режиссерскому таинству, и в этом случае его зрительская энергия — лишняя помеха.

Мое личное, очень сильное впечатление от «сектантской» режиссуры я получил в студии супероодаренного современного режиссера Анатолия Васильева. О его собственных сочинениях писать очень трудно и делать это надо глубоко и обстоятельно. Сейчас мне это не под силу. Может быть, и не только сейчас. Лучше несколько слов о приехавшем к нему в гости одном из последователей Гротовского некоем Джонсоне с небольшой группой единомышленников для своеобразной акции (спектаклем такого рода действие назвать — значит расписаться в собственном невежестве). Так вот, «action» начался с телефонного звонка Анатолия Александровича с поздравлениями по случаю того, что я утвержден зрителем на предстоящем «экшене». Таких достойных посмотреть «экшен» обнаружилось в Москве всего четверо, все остальные были забракованы.

В назначенный час мы, четверо, по-моему, не совсем нормальных и уравновешенных людей, собрались в студии на Поварской, где получили долгий и подробный инструктаж — как себя вести на «экшене». Боже сохрани высказывать какое-либо одобрение «экшену» (его качество и так остается вне всяких сомнений). Ни в коем случае нельзя хоть как-то зримо сопереживать тому, что увидишь, например засмеяться или заплакать. Об аплодисментах вообще не может быть и речи. Задача наша состояла в незаметном присутствии и таком же незаметном наблюдении.

Джонсон оказался человеком невзрачным и маленького роста (иначе он занимался бы чем-нибудь другим). С собой он привез таких же маловыразительных людей, но — босиком. Они ходили по полу в разных хороводных комбинациях и самозабвенно напевали самые древние на земле мелодии, записанные в районе Карибского моря. Ходили часа полтора, разумеется без антракта. Не могу сказать, что пели и ходили плохо. Во-первых, получали от собственного пения удовольствие, что уже немало. Во-вторых, временами, по-моему, погружались в своеобразный транс, что тоже приятно. Назвать это театральным искусством мне очень трудно, но какой-то этнографической ценностью привезенный «экшен» бесспорно обладал.

Несмотря на некоторую иронию, без которой я практически обойтись не могу, о чем бы ни писал, — то, что делает Анатолий Васильев с Джонсоном или без него, вызывает у меня безграничное уважение и интерес. Васильев один из тех, кто, с моей точки зрения, имеет право за государственный счет заниматься такого рода суперэкспериментальной режиссурой. Она крайне благотворно воздействует на формирование новых режиссерских идей в отечественном театре. Его система режиссерского поиска оригинальна и самодостаточна. И хотя он не сумел пока воспитать нормальных выразительных актеров, занимается Васильев очень важным аспектом современного театра — формированием невидимого энергетического потока, гипнотически воздействующего пусть на немногочисленных, но завороженных зрителей. Может, и не все окончательно завороженны, но тот, кто не имеет влечения к завораживанию, к нему в театр и не пойдет.

Театры-студии, подобные васильевскому, я, повторю еще раз, уважаю, почитаю, признаю (в очень ограниченном количестве), но не люблю. Хотя очень и очень интересуюсь той методологией, которая подчас весомо и мощно укрепляет энергетический потенциал актерского организма.

Я не приемлю одностороннего энергетического потока, как у Джонсона и, возможно, у гениального Гротовского. Меня интересует и влечет совместный энергетический экстаз актера и зрителя. При этом он может быть очень тихим, вкрадчивым, но и буйным, экзальтированным, даже шокирующим и непременно непредсказуемым. Зрительский прогноз сегодня — самое большое зло на театре. Почему и уходят так часто зрители в антракте. Время берегут. Оно теперь, извините за повтор, стало много дороже, но не только... уходят, потому что приблизительно (а иногда довольно точно) представля-

15

ют, что будет дальше. Умный режиссер, который умеет объективно оценить свое сочинение, при самых малейших сомнениях в увлеченности зрителя — делает свой спектакль без антракта. Что правильно. Наличие или отсутствие антракта для меня всегда важнейший показатель режиссерской самооценки.

Мое излишне долгое отвлечение в сторону Джонсона и проблемы антракта связано с важнейшими для меня аспектами режиссуры как суперпрофессии.

Энергетика театрального зрелища — наверное, самое важное в современном психологическом театре. Что это такое, по-моему, мы до конца не знаем — иногда можем только почувствовать. Все углубленные раздумья о материальной основе нашего искусства ведут в глубины современной биохимии и даже философии. Я все чаще говорю об актерском организме на клеточном уровне. Человеку дано изменять биохимический состав своих клеток. Сегодня полноценное, мощное, непредсказуемое воздействие актера на своего сценического партнера, а стало быть, на зрителя, возможно только с привлечением тех возможностей человека, которые граничат с элементами сверхчувственного восприятия.

Однажды в Киево-Печерской лавре для меня сделали индивидуальную экскурсию. И человек, ощущающий разную степень излучения святых мощей, рассказал, что обычно в глубокой древности все монахи уходили из жизни примерно одинаково. Ритуал не нарушался. Разница была в молитвенном экстазе, его интенсивности и протяженности. Сверхнапряженная молитва в предсмертные годы изменяла облик людей. (Нимб над головами святых — не выдумка художников.) В некоторых случаях людям удавалось, как сказали бы сегодня ученые, изменять свою биохимию. Молитва изменяла свойства умирающего тела. Всех монахов хоронили рядом и в одинаковых условиях, однако через три года захоронение обязательно вскрывалось. В одних случаях обнаруживался обыкновенный скелет умершего, в других — нетленные мощи.

Ресурс человеческого организма, сила и целенаправленность мысли, лежащей в основе молитвы, — мощная энергетическая величина. Мысль, не выраженная словами, в некоторых режимах человеческого существования несет осязаемую информацию. Мысль способна преобразовать тело. Здесь возникает много вопросов. Какова материальная основа мысли и чем измеряется ее сила? Экранирует ли она от плоскости, или это для нее безразлично? Можно ли переносить информационный энергетический поток в режиме молчания с одного объекта на другой? Когда мысль обладает гипнотическим воздействием (и почему), а когда высказанная мысль — всего лишь рабочая переброска информации?

Знаю ли я ответы на эти вопросы? Если бы не знал, то и не писал бы. Могу ли объяснить? Могу, но не хочу. Боюсь преждевременно погрузиться в околонаучное шаманство. Еще успею.

В качестве примера (почему не пускаюсь в пространные объяснения): в каком помещении лучше, приятнее играть — в театре с долгой историей или в удобно скроенном новом цементном «аквариуме»? 99% артистов предпочтут старые стены. Уж не хотят ли они этим сказать, что стены помнят? Хотят. Как помнят и почему? Вопрос к бабушке Ванге или тибетскому Далай-ламе.

Я так надоел со словом «энергетика», что дома мне, например, категорически запрещено его произносить. Жена после неприлично долгого сожительства со мной недавно призналась, что больше об энергетике слышать не может. Я пообещал в домашней обстановке воздерживаться от его употребления, и те же самые намерения я в какой-то мере распространил на театр. Ищу, иногда безуспешно, синонимы.

Поэтому сейчас не впрямую об энергетике, — а по касательной. О чисто визуальном взаимодействии — что имеет прямое отношение к контакту зрительного зала с артистами. Пытаюсь рассуждать очень осторожно, всячески превозмогая свойственную режиссерам мессианскую безапелляционность. (Кстати, чисто профессиональное заболевание.)

Примерно в 1976 году вместе с Евгением Павловичем Леоновым я был в гостях на даче у нашего директора Рафика Гарегиновича Экимяна. Леонов приехал со своим псом, проживавшим у него в доме около двадцати лет. Пес был неправдоподобно похож на своего хозяина и по комплекции, и по выражению лица (извините, морды). Его пластика очень напоминала леоновскую, ну и, разумеется, характер. Помню, как все мы долго смеялись над этим обстоятельством, подмечая все новые знакомые черточки в псиных повадках. Собственно, я рассказываю не новость; о том, что при долгом совместном проживании живые существа активно воздействуют друг на друга, замечали многие. Какими похожими становятся супруги после нескольких десятков лет совместной жизни! (Выравниваются даже показатели медицинских анализов.) Почему? Каков механизм воздействия? Далеко не всегда люди, и тем более животные, стремятся осмысленно подражать или даже передразнивать друг друга. Очевидно, между ними образуются устойчивые и незримые каналы, по которым периодически проходят сильные информационные потоки, преобразующие организм, характер, пластику.

Наконец, есть еще одна любопытнейшая система передачи информации. Зарубежные ученые назвали ее «эффектом сто первой обезьяны». Я вычитал об этом в одном солидном издании. На некоторых островах Индокитая живут большие колонии обезьян, где за ними ведутся постоянные научные наблюдения. Однажды ученые заметили, что среди сотни обезьян, живущих на небольшом необитаемом острове, появилась одна смышленая особь, которая стала ополаскивать в воде овощные клубни перед употреблением в пищу. Ополоснув, она их ловко чистила и только потом грызла. Сначала сородичи не обратили внимания на смышленую подругу. Однако позже некоторые, заметив нововведение, стали обезьянничать — подражать и поступать с клубнями подобным же образом. Вскоре вся сотня обезьян стала приходить к воде и дружно заниматься одним и тем же делом. Самое удивительное и необъяснимое в другом. За несколько сотен километров, на другом острове обезьяны, которые ни при каких условиях не могли увидеть своих более прогрессивных сородичей, стали заниматься тем же самым делом. Повторяю, водный рубеж подобной протяженности ни при каких условиях не мог быть преодолен обезьянами. Спрашивается: каким образом информация от первых умельцев поступила ко вторым?

Может ли ответить на этот вопрос современная наука? Не может. А режиссура? Тоже не в состоянии. Но отдельные представители этой профессии — суперпрофессионалы должны об этом крепко и глубоко задуматься. Нескромно каждый раз причислять себя к суперпрофессионалам — но я об этом думаю. Более того, внедряю эти нехитрые мысли в сознание артистов Ленкома и студентов режиссерской мастерской при Российской Академии театрального искусства (РАТИ — бывший ГИТИС). Очевидно, человек посылает в пространство значительно большее количество сигналов, чем принято думать. Не все сигналы, посылаемые артистами со сцены, зритель воспринимает осмысленно и, что называется, напрямую, в визуальном контакте. Возможно, некоторые используют нетрадиционные средства связи.

У артиста самое выразительное — глаза. Даже у очень красивой актрисы — все равно самое важное в глазах. Вероятно, это основной канал, по которому поступает самая наиважнейшая информация о сценическом образе. Но артист, впитавший в свою психотехнику элементы сверхчувственного восприятия, мощную внутреннюю энергетическую насыщенность, может повернуться к нам спиной, и мы, зрители, получим в свою подкорку сильную дозу информационного облучения. Мы можем не сразу разобраться в этой информации, даже не сразу понять, но наше подсознание начнет свою незримую, а иногда и неощутимую работу по ее распознанию. Конечно, речь о «высшем пилотаже» современного актерского мастерства.

Можно ли его, кстати, тренировать помимо репетиций? Обязательно! Но проблема глубоко субъективная, здесь может быть много сугубо личностных поисков от отдельных индивидуальных упражнений до стиля жизни. В качестве одного из советов: попробуйте сосредоточить внимание на затылке человека и заставьте его обернуться. Не вздумайте только посылать ему мысленные угрозы или вообще какую-либо негативную информацию. Кто знает, какими возможностями и неизвестными вам энергетическими ресурсами располагает ваш организм? «Не навреди!» Клятва Гиппократа сегодня распространяется и на театральное искусство. И, естественно, на тех, кто хочет претендовать на свою причастность к суперпрофессии.

НЕКОНТРОЛИРУЕМЫЙ ПОТОК СОЗНАНИЯ

Мой XX век начался 13 октября 1933 года в родильном доме у Грауэрмана на Арбате. Оттуда я был привезен на Красную Пресню в коммунальную квартиру на тихой улице Заморенова, где прожил до двадцати одного года.

Похоже, мое рождение было связано с родовой или предродовой травмой. Не знаю — психического или физического характера. От самого раннего младенчества, когда человек может хоть что-то запомнить, в моей памяти, разумеется, смутной и размытой, остались какие-то неясные, долго мучавшие меня кошмары. Иногда я впадал в состояние, очевидно, пограничное между мучительно страшными снами и галлюцинирующей явью. Я даже хорошо запомнил осколки этих являвшихся и безжалостно атаковавших меня фантомов. Подозреваю, что эти первые в жизни воспоминания относятся к возрасту от нескольких месяцев жизни до трех-четырех лет.

Тяжелой психической травмой явилось для меня посещение Мавзолея вождя мирового пролетариата. Скорее всего по велению матери или бабушки, меня привела туда моя няня Мария Петровна, взятая из деревни в период героической коллективизации для ухода за мной и нехитрого, но очень доброго воспитания. Зловещая театральность Мавзолея, подсвеченный желтый труп под стеклянным колпаком потрясли меня и в дальнейшем вызывали периодические приступы ночного бреда. Я просыпался, дрожа от ужаса, с реальным ощущением, что страшное мертвое существо лежит рядом со мной в постели, накрывшись простыней.

Разумеется, эти детские ужасы не имеют прямого отношения к тем публичным заявлениям о человеческом захоронении Ленина, которые были сделаны по телевидению в прямом эфире лет эдак пятьдесят спустя... Хотя, кто знает, быть может, какая-то очень далекая подсознательная связь все же существует. Доктор Фрейд, возможно, и разобрался бы. Не хочу сказать, что теперь нет специалистов по глубокому проникновению в недра нашей памяти и подсознательных процессов.

Если записывать все, что бродит на разных уровнях моего усталого сознания и такой же памяти, можно вспомнить о таких глупостях, которые ни за что не переведу на бумагу. Одно время, формируя этические нормы поведения среди краснопресненской шпаны, мечталось даже приобщиться к криминальным деяниям. Но такая возможность реально появилась только 11 марта 1999 года, когда С.В.Степашин наградил меня именным оружием, а В.Б.Рушайло через несколько дней вручил его мне вместе с патронами.

Сейчас я сверяю количество патронов с тем списком, который составил заранее.

Интересно, почему оружие вручили через несколько дней после его демонстрации и министерского приказа? Знающие люди сказали, что потребовалось время, чтобы определить мою психическую вменяемость. Думаю, хорошо, что работники МВД не познакомились с некоторыми главами, переданными в издательство «Вагриус», кто знает, какова бы была реакция, а я без оружия как без рук.

Поскольку это поток сознания, наивно ожидать от меня какой-либо повествовательной логики. Логика, вообще, относится к понятиям, мною нелюбимым за свою ненадежность, множество исключений, поправок, заплаток, сомнительных коррекций и другой зыбкой материи.

Под воздействием очень осторожно проснувшегося разума, очень поздно, редко, невнятно, без особого интереса я стал выспрашивать отца о жизни его родителей. Чтобы было с чем сравнивать. Отец рассказал, что мой дед был женат на еврейке-караимке, стало быть, заключил я, мой отец наполовину еврей, я — на четверть. Но вот моя дочь уже имеет такую долю еврейской крови, которую нацисты официально прощают, а мне прощения нет.

Когда был в Иерусалиме у Стены плача, первый раз не то чтобы с гордостью, но нормально ответил на вопрос, кто я такой. Как же, как же, говорю, бабка была из ваших. Они сразу спрашивают, какая бабка: материнская или отцовская? Я сказал правду, и они очень за меня огорчились. Оказывается, если со стороны отца, — о том, чтобы считать себя евреем даже мечтать нельзя. Хорошо, что я никогда об этом не мечтал и всегда считал себя русским, хотя отец потом признался, что в роду изначально, с XIII века, присутствовала еще и татарская кровь. В этом большой недостаток многонационального государства. Мы с этим еще намучаемся в XXI веке.

На всякий случай запишу (еще не известно, как сложится): дед по отцовской линии был поначалу революционером и сидел в Петропавловской крепости. Об этом мой отец писал Ворошилову, когда получил знаменитую 58-ю статью. Наверное, хотел, чтобы Ворошилов посоветовался о нем с Ежовым, а Ежов со Сталиным, который бы вызвал Буденного.

Еще я узнал, что отец моего отца занимался журналистикой и в их доме часто бывал дядюшка Гиляровский. В 1914 году мой дед ушел на фронт, где вместе со своими старшими сыновьями был убит. Еще у моего деда был брат, который занимался исключительно сельским хозяйством в своем родовом имении в Тамбовской губернии, где я никогда не был. О чем жалею. Кому не хочется съездить в свое родовое имение?!.. И не с той модной ныне целью, чтобы приобщиться к дворянскому сословию. К себе как потомку дворянского рода отношусь с изрядной долей иронии, сарказма и, не скрою, скепсиса. Полагать себя дворянином права не имею. Хотя бы потому, что не владею иностранными языками, к своему прошлому нелюбопытен (если и спохватился, то поздно), ощущаю себя, скорее, одним из случайных осколков некогда взорвавшейся великой российской цивилизации. Образование свое со временем привел почти в человеческий вид, работать научился, преступлений не совершал, крестился осмысленно во второй половине жизни, тогда же и несколько поумнел, — но, в моем представлении остался микрочастицей, по счастливой случайности уцелевшей после космического взрыва. Еще имею подлую мысль: взорвались-то родители вместе с великой державой, но печать интеллектуальной деградации меня все равно задела. Конечно, в отношении себя я в какой-то степени ослабил воздействие исторического вырождения, кое в чем преуспел, но аристократическую ментальность не сохранил.

Недавно общался с абитуриентами, желающими поступить в мою режиссерскую мастерскую при РАТИ. Прослушал в их исполнении несколько рассказов Зощенко и вдруг по-новому, с трагическим до слез хохотом воспринял это исследование гигантской деградации русского общества, иссушение его интеллектуальных ресурсов и его великой словесности. Конечно, я не ощущаю себя персонажем из рассказов Зощенко, но, если уж совсем честно, о некотором метафизическом родстве речь идти все-таки может.

Не буду глубоко вдаваться в свою родословную. Справедливо опасаюсь, что это почти никому не интересно. Но в целях увеличения общего печатного объема скажу очень коротко о моей бабке по материнской линии — Софье Николаевне, урожденной Бардиной. Ее усилиями с 1933 года по 1941-й моя жизнь в довоенной стране до сих пор представляется мне сплошным раем. У меня было несметное количество игрушек, веселых книг с картинками, подростковый велосипед, узкопленочный кинопроектор, высококалорийное, витаминизированное, надоевшее мне до смерти питание и другие блага. Работая в системе просвещения заведующей образцово-показательным детским домом, Софья Николаевна, за счет своего высокого авторитета, некоторых служебных возможностей и, вероятно, большого количества состоятельных поклонников (некоторых я помню), сумела с достаточным размахом (по довоенным нормам) обеспечить вполне пристойный жизненный уровень для моей матери и, как мне кажется, главным образом — для меня. Свою могучую и крайне энергичную бабку я звал Батя, что ей очень нравилось. Были многолетние периоды, когда я подолгу не видел своих родителей. Мать работала с утра до ночи, отцу долго не разрешали жить в Москве, потом на некоторое время он все-таки поселялся с нами, потом его опять выгоняли.

Моя мать, не сумевшая стать актрисой, училась в театральной студии Юрия Александровича Завадского и, по общему мнению всей родни, крайне неудачно вышла замуж. (Разумеется, я придерживаюсь иного мнения и иногда мне даже кажется, что отца я любил больше матери.) Отец не сумел получить пристойного образования. Революционные вихри застали его в Воронежском кадетском корпусе. Ему было шестнадцать лет, когда в город вошел генерал Шкуро. Отец принял немедленное решение — вступить в его Добровольческую армию, но не смог этого сделать сразу, так как не имел хороших офицерских сапог. Без сапог в Добровольческой армии появляться было неприлично. Вместе со своей матерью он посетил лучшего городского сапожника, который принял заказ и сразу же запил. Отец, по его рассказам, горько плакал, когда выяснилось, после того как мастер благополучно вышел из запоя, что заказанные сапоги оказались на два размера меньше. К этому времени Шкуро выбили из Воронежа и в город вступила доблестная «конница-буденница», куда можно было вступить в каком угодно виде, хоть босиком. Поэтому отец с не меньшим удовольствием вступил в Красную армию. Он участвовал в боях с Пилсудским, терпел поражения, отступал до тех пор, пока на фронт не приехал Троцкий, который собрал голодную, полураздетую и босую армию и, поблескивая пенсне, провозгласил: «Даешь Варшаву!» После чего, по рассказам отца, все красноармейцы испытали отчаянное воодушевление, рванули с этим воплем на дрогнувших поляков и преследовали их почти до самых предместий Варшавы.

После Гражданской войны отец не сумел продолжить образование. Поступал в медицинский вуз — не поступил. Что-то ему мешало. Не хватало энергии, деловой хватки, везения, анкетных данных — не знаю. Он пробивался случайными заработками в военно-физкультурной сфере. Отдать любимую, единственную, талантливую дочь за человека без определенной профессии, остро нуждающегося и беспартийного, моей бабушке и всем остальным родственникам казалось делом невозможным и трагически недопустимым.

По-моему, этот брак сохранился в связи с моим рождением. А через год, в 1934 году отец уже был арестован, судим тройкой ОГПУ и получил до смешного маленький срок — три года с последующей высылкой. Мать, бросив театральную студию, ринулась за ним. Счастье, что это был 1934-й, а не 1937 год — в этом случае отец вряд ли бы выжил, вряд ли мог бы участвовать в Великой Отечественной войне и умереть в Москве в весьма преклонном возрасте.

У матери тоже была своя «революционная эпопея»: одиннадцатилетней девчонкой она с матерью и отцом, колчаковским офицером, отступала туда, где «по долинам и по взгорьям шла дивизия вперед». Во Владивостоке Софья Николаевна, однако, приняла важное для моего будущего рождения решение — не плыть вместе с мужем в Австралию, а остаться в России.

Вот и первая страшная мысль, выброшенная из потока сознания: не запей сапожник горькую, не раздумай бабка плыть в Австралию — издательство «Вагриус» осталось бы без моих мемуаров!

Скажем так: мой отец — неудачник, сломленная личность, очень для меня дорогая, о ком я вспоминаю и теперь почти каждый день, очень многое сделал для моего развития, формирования чисто мужских оценок, пробуждения фантазии, самых разнообразных интересов, а главное, своим примером доброго неудачника побудил очень скоро к мучительным раздумьям о том, что деньги надо все-таки уметь зарабатывать и жить по-другому.

После начала войны и смерти моей всемогущей бабки для нас, вернувшихся из эвакуации в 1943 году в холодную и голодную Москву, в полученные с огромным трудом обратно две комнаты в коммунальной квартире, началась жизнь тяжелая, полуголодная, бесперспективная.

На несколько месяцев я в возрасте десяти лет попал в детский дом. По возвращении из эвакуации у нас не было продовольственных карточек и вообще средств к существованию. Это был основательный стресс, я узнал многое из того, что не знал прежде, а главное — испытал такое жуткое одиночество среди довольно враждебного и агрессивного окружения, что этих ощущений мне хватило на полжизни.

После вселения в возвращенную нам, отапливаемую буржуйкой комнату я стал сперва очень плохо учиться, но зато с любимым другом по третьему классу — Вахтангом Бокерия увлекся кукольным Театром. Вместе с ним мы начали бегать в Театр Образцова, приходить в восторг от его спектаклей. Наверное, однако, театральная бацилла залетела в меня много раньше, когда в семилетнем возрасте я был приведен моей матушкой во МХАТ на «Синюю птицу». «Синяя птица» — явление особое в нашей театральной истории, думаю, оно оказывало свое целебное, магическое воздействие на многие поколения людей, не обязательно посвятивших себя театру. Спектакль мощным образом стимулировал в человеке фантазию, вовсе не сказочным сюжетом, а какой-то особой энергетикой пробуждая в детском сознании стимулы для эмоционального, интеллектуального, а может быть, духовного развития.

После возвращения в послевоенную Москву, где-то к

классу пятому-шестому я стал мучительно и подолгу размышлять: почему мы тогда с уже вернувшимся по болезни отцом так плохо живем? Пребывая целиком в увлечении рядом тайных, очень субъективных полуигр-полуфантазий, о которых рассказывать, вероятно, и сложно и, скорее всего, неинтересно, я все чаще задавался мыслью, как покончить с нищетой. Именно в это время в мои руки попался «Мартин Иден» Джека Лондона, и я стал бредить — как бы вырваться в будущем в какую-то другую творческую стихию. Как это сделать, я не знал — я только фантазировал странным образом на бумаге, рисовал какие-то вымышленные страны. (Отчасти под воздействием «Швамбрании» Льва Кассиля.) Рисовал странные черточки, кружочки, магические загогулины, летательные аппараты, лабиринты, проекты театров, просто придумывал собственные игры с трудно формулируемым содержанием. Чаще всего я этим занимался во время приготовления уроков, когда мать с нянькой ходили на цыпочках. Позднее мать обнаружила, что я использую отведенные для уроков часы не по назначению.

Нет смысла подробно рассказывать, как скверно я учился, и только десятый класс закончил с аттестатом без троек. К этому времени во мне, вероятно, взыграла какая-то просыпающаяся мужская гордость или ее предтеча.

Из достаточно зачуханной личности я постепенно вполз в несколько иную ипостась. Стал веселить класс разного рода шутками, чаще всего дурацкими, но имел успех. Научился рисовать мелом на школьной доске смешившие всех карикатуры. Перед каждым уроком учителей встречали разнообразные рожи и картинки из жизни класса. Некоторые учителя гневались, что очень радовало. К этому времени появились настроения товарищеского мужского братства. (Обучение тогда было раздельным, девочки учились в женских школах.) Вскоре у нас образовалась своя «мужская» компания, довольно дружная, умная, долговечная, очень веселая, отчасти шальная, которая стала называть себя «Хивой». Разумного объяснения этому нет. В окончательном составе братства осталось шесть человек.

«Хива» уцелела по сию пору, правда, теперь нас четверо; мы не без удовольствия перезваниваемся и регулярно встречаемся. Очень любопытно, что нас почти не связывают профессиональные интересы, а объединяют исключительно проблемы нашего поколения, а также политические, всемирно-исторические, психологические, семейные и все другие аспекты бытия. Очень долго мы, что называется, «решали судьбу России» и только недавно окончательно выяснили, что сколько ни решай — ничего никогда не решишь. И в последнее время стали все заметнее отгребать от политики в сторону чисто житейских интересов. Люди мы разные, но есть поколенческая солидарность и взаимное любопытство. Один из нас все-таки крупный деятель — главный конструктор в системе ВПК. Другой до недавнего времени работник МИДа, в семидесятые годы работал Штирлицем в США. Фамилии их я на всякий случай называть не буду, кому понадобится — узнает. А четвертого — Леонида Новоторкина — назову: он никогда с государством ни в какие игры не играл, ему терять нечего.

Помню, «Штирлиц» раньше часто говорил «Главному конструктору»:

— Все-таки сколько мы передали для вас ценной информации.

На что «Главный конструктор» всегда саркастически ухмылялся:

— Читал я вашу... (неприличное слово) информацию.

— Что же он для тебя ничего не нашпионил? — удивлялся я.

— До всего дошли своим умом, без его шпионства.

— Одно слово что шпион, а шпионничать по-настоящему не научился, — добавлял Леня. — Почему плохо шпионил для нашего брата? Рассказывай подробно!

«Штирлиц» никогда не рассказывал, потому что работал Штирлицем.

В возрасте одиннадцати—четырнадцати лет я, как и многие мои театральные сверстники, прошел через полосу разных и всевозможных драмкружков. Сначала у своей матушки. От прежней профессии она далеко не ушла и много лет отдала детской художественной самодеятельности — так это в то время называлось. Имел там некоторый, не скажу, что очень большой, но успех, радость дружно хохочущего зрительного зала ощутил. Потом вместе с Андреем Тарковским занимался в театральных коллективах Москворецкого дома пионеров на Большой Полянке. Мы увлеченно вспоминали об этом много позже, когда Тарковский ставил «Гамлета» в Ленкоме.

Отец служил после фронта в охранных частях московского гарнизона, моя няня очень состарилась, мать в одиночестве тащила семейный бюджет, потому что отца после демобилизации довольно скоро выслали из Москвы как судимого по 58-й статье. Мать некоторое время вела драмкружок в Марфинской детской колонии НКВД, естественно, за грошовый заработок. Как она туда устроилась — не понимаю. Может быть, от отчаяния согласилась на что-то, о чем думать не имею права. А подумал непроизвольно и только сейчас. В здании, где она работала, располагалась некогда знаменитая «шарашка», описанная Солженицыным.

Почему фронтовики с удовольствием вспоминают свою окопную жизнь? Таково свойство человеческой психики. Все, что было в молодости, вспоминать и смешно, и приятно. И не только фронтовикам — даже бывшим зекам ГУЛАГа.

Когда в 1986 году Б.Н.Ельцин, проводя свою предвыборную кампанию, поехал в город Пермь, в его свиту пригласили «пермяков» — трех актеров, связанных с работой в Перми: Георгия Жженова, Петра Вельяминова и меня. Мы с Вельяминовым работали, правда в разные годы, в одном и том же пермском облдрамтеатре, а Жженов все то время, пока мы играли на сцене, сидел в пермской тюрьме как американский шпион. После официальных встреч с избирателями мы втроем ужинали в ресторане пермской гостиницы, где мои «пермские» друзья с такой радостью, таким счастливым смехом делились воспоминаниями о пересыльных тюрьмах, о некоторых смешных надзирателях и прочих ужасах, что я сидел с открытым ртом и не переставал удивляться.

Но мы все так устроены. Я вспоминаю свое послевоенное детство и юность как распрекрасное, очень веселое и, конечно, счастливое время. Учился посредственно, читал мало, зимой и летом гонял во дворе тряпичный мяч, за неимением настоящего футбольного. Искал сомнительных приключений с краснопресненской шпаной. Накручивая коньки на валенки, цеплялся железным крюком за проходящие по пресненским переулкам автомобили, ездил «тыриться» на стадион «Динамо», взирая на земных богов: Хомича, Боброва, Пайчадзе, Гринина, Леонтьева, Бескова. Раз пять мог засмотреть американскую военного времени киноверсию «Трех мушкетеров» и, позднее, несметное количество трофейных немецких фильмов. Помню, что Дина Дурбин в фильме «Секрет актрисы» вызывала особое волнение не только у меня, но и у всего класса мужской школы № 95 на улице Заморенова. Очень долго думал: признаться ли, что, обучаясь в 10-м классе, я смотрел кинофильм «Петер» с Франческой Гааль ровно семь раз? Признаюсь. Было.

Но было и другое. Перед окончанием средней школы я не нес в себе заметных признаков будущей профессии, мое образование и интеллектуальное развитие оставляли желать лучшего. Никаких зачатков чисто политических или хотя бы исторических воззрений за мной не числилось. По сравнению с нынешними молодыми людьми того же возраста, выглядел я, по-моему, кретином. Правда, очень веселым.

До некоторой степени политическая сфера вообще у моих родителей была больным местом. Мать, помню, не стеснялась издеваться над кампанией по искоренению «космополитов», иронизировала по поводу некоторых радиопередач и газетных сообщений, но в целом родители делали все возможное, чтобы в мою дурную голову не залетели ростки крамолы и антисоветские ветры. Они, конечно, знали цену многим событиям нашей прошлой и нынешней истории, но, как видно, страшась отцовской 58-й статьи, изо всех сил старались, чтобы меня всегда посещал один только исторический оптимизм вместе с материализмом. Сейчас мне трудно сказать — насколько они были правы. Точнее — насколько их можно понять. Вопрос для меня непростой.

Впрочем, возраст юношеского максимализма, вообще говоря, нельзя целиком и полностью оскопить, лишить естественных сомнений и критического сарказма. С близкими мне друзьями из «Хивы» я смеялся, как мог, над некоторыми топорными издержками нашей пропаганды, но в целом посягнуть на что-то большее, заглянуть в корень я, конечно, был не в состоянии.

Мать несколько раз подробно и долго объясняла мне, как одно единственное слово может в нашей стране навсегда погубить человека.

Я, вероятно, со своим зубоскальством имел такой небезопасный период на первом курсе ГИТИСа, когда ГУЛАГ еще продолжал набирать обороты. Этот период я, хоть и рискуя пару раз, но проскочил. А вот знакомый мне коллега А.Крюков не проскочил. На семинаре по марксистко-ленинской эстетике он, будучи только что зачисленным в труппу Театра сатиры, спросил у ученого марксиста:

— А правда ли, говорят, что перед смертью Ленин написал какое-то завещание?

— Нет, это говорят неправду, — успокоил его ученый.

Но парторг театра Г.Иванов не успокоился и в тот же день поехал в райком партии, где рассказал, о чем спросил Крюков. На следующий день молодого артиста арестовали и через некоторое время отправили в лагерь.

По возвращении после хрущевского доклада о Сталине, в первый же день, счастливый Крюков пригласил Иванова распить с ним бутылку.

— Ведь чудом уцелел! — радостно сообщил он, зная о роли, сыгранной в его жизни Ивановым. — Жизнь висела на волоске, два раза убивали, а вот живой!

Говорят Иванов очень ему сочувствовал и радовался.

Такое интересное было время. Боевое.

Возвращаясь мысленно к последним школьным годам, я теперь хорошо понимаю, что мой «стартовый капитал» был крайне низок. Да, я подавал кое-какие надежды, главным образом за счет шального юмора, дурацких, смешных выходок, однако серьезных рычагов для начала осмысленного пути в искусстве я, конечно, не имел. Серьезной наставнической информации и вообще пристойного воспитания, наверное, так и не получил. Недаром, заканчивая десятилетку, подавленный страшными рассказами матери о театре, я намеревался поступать в Военно-инженерную академию и, между прочим, чуть было не угодил по досрочному комсомольскому призыву в военные летчики.

Конечно, я ни в чем не хочу, да и не имею права винить родителей. У матери сердце разорвалось в 54 года. Жизнь была невыносимой, считали каждую копейку. Но теперь, удивляясь тому лабиринту, через который прошел, могу заметить: некую наследственную программу, которая была заложена в меня родителями я, похоже, реализовал. Говорю так, даже если не поставлю больше ни одного пристойного спектакля.

Сейчас, когда стал более религиозен, чем лет двадцать назад, хочу добавить, что, кроме наследственной программы, было еще нечто, что вывело меня к истокам суперпрофессии. Должен признаться, что поверил, наконец, в силу Провидения. (Не буду расшифровывать, что я под этим имею в виду, во-первых, чтобы не дай бог не впасть в наивное и дилетантское теософическое мудрствование, а во-вторых, чтобы не сбиться ненароком на богохульство, что в принципе возможно ввиду отсутствия религиозного воспитания.) Простите грешного, но я теперь стал подозревать, что Провидение довольно рано обратило на меня внимание. Может быть, даже без всякого удовольствия, просто не было под рукой ничего лучше. Провидение уберегло меня от военно-инженерной карьеры, к которой я, не от большого ума, стал стремиться, послав в приемную комиссию Военно-инженерной академии доброго майора, который сразу обратил мое внимание на анкету с отцовской 58-й статьей и не посоветовал сдавать экзамены. Провидение заставило меня, несмотря на внешнюю тщедушность, упереться в Краснопресненском военкомате и решительно отказаться от досрочного комсомольского набора в летное училище. Но главной его заслугой было лишение меня московской прописки и отправка в Пермь, чтобы я там видоизменил свою биологию, психику и характер.

Касаюсь опасной сферы, но уж раз такие мысли во мне забродили — договорю. О Провидении из благородной трусости далее упоминать не буду. Свалю основную «вину» на Ангела-хранителя. Все-таки он рангом пониже и коли, действительно, *мой* — к моим сомнительным шуткам привык или устал обижаться. А может быть, тоже грешит по части вкуса.

Ангел-хранитель, прежде чем привести меня к истокам суперпрофессии, намучился и натерпелся. Прежде всего нужно было ликвидировать мою упертость по части выбора профессии. В 1951 году я метался между Военно-инженерной академией, Архитектурным институтом и МИСИ им. Куйбышева. Не скрою, испытал приступ трусости в связи с материнскими причитаниями, что театр — дело дурное и опасное. Я, видите ли, вбил себе в голову, что техника — моя стихия. Некоторые успехи в школьной тригонометрии, дурное ли легкомыслие или просто сложность в выборе жизненного пути породили во мне известную зацикленность. Употребляю этот термин потому, что он ближе к глупости, чем к осмысленной целенаправленности. То, что я не очень умен, сочтут ныне, возможно, за некоторое кокетство, но, как на духу, скажу прямо — *не очень.*

Я уже упоминал о нашем святом школьном содружестве, именуемом «Хивой», так вот, среди некоторой ее части, точнее — среди моих тогдашних раздумий, родилась «светлая» мысль о том, что экзамены в высшие учебные заведения не обязательно сдавать самому. То есть если твой друг лучше тебя знает физику, то пусть и идет вместо тебя на экзамен по физике, а ты, скажем, пойдешь за него писать сочинение, раз мы друг другу братья. Помимо опасной глупости мысль таила в себе и некоторый запах криминала, который воспринимался мной тогда как веселый авантюризм. Действительно, мысль эта в тот момент показалась «Хиве» веселой и продуктивной. Однако из всей компании нашлось только трое дураков, которые ею воспользовались. Я, ныне покойный Евгений Ревазов по прозвищу Князь и будущий уже упомянутый мною «Штирлиц». Теперь он, естественно, в совершенстве владеет английским (как иначе было притворяться американцем), но в то далекое время питал к английскому языку справедливое недоверие — как умный русский, он его опасался. Справедливо. Но в «Хиве» все-таки нашелся человек — пусть спасибо скажут ему спецслужбы КГБ, — который английского не устрашился. Этим человеком был я, который и отправился сдавать приглянувшийся будущему «Штирлицу» язык в МВТУ имени Баумана.

Этот факт приводит меня в трепет по сию пору, и я задаюсь вопросом: чего было больше — храбрости или глупости? Последнего, наверное, больше: от безупречно подделанной печати на экзаменационном листке до охватившей меня известной робости, когда экзаменатор стал пристально вглядываться в протянутый ему документ и мою физиономию.

Некоторое внутреннее напряжение помешало мне получить пятерку, но и четверка была полезным вкладом в будущего знатока английской словесности. (Когда «Штирлиц» шпионничал в США, я им искренне гордился, но и собой тоже.)

За меня Князь сдавал физику в МИСИ имени Куйбышева и тоже притащил четверку. В результате я не прошел по конкурсу на престижный факультет, и мне в приемной комиссии было предложено обучаться на факультете «Водоснабжение и канализация». Делать этого мне очень не захотелось.

И вот тогда на помощь пришла моя матушка, которая, суммировав мои неудачи в Военной академии, Архитектурном институте и МИСИ, поведала мне, что видела вещий сон, прямо касающийся моего дальнейшего образования. Матушка сообщила, что от судьбы не уйдешь и путь у меня один — в актеры.

Помню, как я обрадовался ее материнскому решению и сразу же побежал летом 1951 года на предварительное прослушивание в Школу-студию МХАТ. Здесь на консультации для абитуриентов я прочитал доценту Г.В.Кристи громким, но неокрепшим голосом мое любимое произведение — «Вересковый мед» Бёрнса в переводе Маршака. В конце произведения, в том месте, когда шотландцы сбросили бедного карлика в пучину вод, у меня даже, помнится, выступили слезы. Доцент Кристи долго раздумывал над этим обстоятельством, а потом решительно посоветовал воздержаться от дальнейшего чтения и подумать о другой профессии. Помню, как долго уговаривал я его «отсеять» меня хотя бы после первого экзаменационного тура, мне было страшно неудобно признаться друзьям, что я, человек, всю жизнь увлекавшийся театром, не допущен даже до экзаменов. Но Кристи справедливо рассудил, что загромождать экзамены неперспективными абитуриентами со стихами о сумасшедших, хотя и мужественных карликах не стоит, и я отправился жаловаться матери на судьбу. Мать велела не падать духом и выучить наизусть «Песню о купце Калашникове», которую мы стали разучивать вдвоем, почти по нотам, с ее, материн-

ского, голоса. Очевидно, мать поставила чтение довольно грамотно, она также научила меня (по-нашему —
«натаскала») пристойно читать прозаический отрывок
из Гоголя, после чего я пошел в ГИТИС, где ко мне отнеслись приветливее, чем на консультации у Кристи.

К моему глубокому удивлению, я сперва был допущен к экзаменам, а потом даже зачислен, летом 1951 года, на первый курс актерского факультета.

В 1951 году в ГИТИСе наши преподаватели актерского мастерства И.М.Раевский, Г.Г.Конский и П.В.Лес-
ли делали все, чтобы превратить нас в приличных людей и артистов. Светлую память оставили многие, и
прежде всего Григорий Григорьевич Конский, о котором мне хочется сказать много благодарных слов; однако потряс, перевернул во мне все вверх дном другой пе-
дагог, преподававший нам актерское мастерство всего
один семестр на втором курсе, — Андрей Михайлович
Лобанов, художественный руководитель лучшего московского театра той поры — Театра имени Ермоловой.

Когда сравнительно недавно формировался сборник
воспоминаний об этом необыкновенном человеке и ре-
жиссере, я, сколько ни пытался, не сумел вспомнить ничего вразумительного. Не сумею, наверное, сформулировать и сейчас, кем был для меня Андрей Михайлович
Лобанов, — слишком короткой и ошеломляющей была
моя встреча с ним. Я помню только, что пребывал в состоянии своеобразного шока; репетиции с Лобановым
слились в какую-то сплошную труднообъяснимую полосу изумлений. Я пережил первый, очень важный для
актерской жизни успех, лишивший меня некоторого
комплекса неполноценности, который я все-таки испытывал, не признаваясь себе в том.

Я играл на экзамене второго курса графа Любина в
«Провинциалке» Тургенева, и почти каждое мое движе-

ние и слово воспринималось с хохотом и аплодисмента-
ми. Конечно, передо мной сидел добрый студенческий
народ в тесноватой аудитории ГИТИСа, но все равно
для меня это был прыжок в новое жизненное пространство. Лобанов на всю жизнь подарил мне уверенность в
себе, на его репетициях я впервые и как бы изнутри,
всеми клетками мозга, внутренним слухом, кожей ощутил, что такое театр и что такое наша древняя лицедей-
ская профессия.

Общение с Лобановым превратилось в какой-то не-
мыслимый сплошной праздник, щедрый дар судьбы.
Лобанов вскрывал нам тайные, незаметные для нормального глаза, подспудные механизмы человеческих
взаимоотношений, иногда на уровне интуитивных движений души. Он как бы препарировал сознательный и,
главное, бессознательный пласт людских намерений,
страшно дерзко и остроумно забираясь в тайники нашего мышления, выявляя рождение сценического действия
на каком-то нечеловеческом молекулярном уровне.

В течение четырех месяцев Лобанов создал на нашем курсе никогда прежде и никогда после не встре-
чавшуюся атмосферу глубинного режиссерского исследования, терпкую питательную среду для наших молодых мозгов, зону всеобщей и повышенной творческой
интенсивности. Я тогда не отдавал себе в этом отче-
та — может быть, просто не умел вообще серьезно размышлять и анализировать, — но это был мой единственный и недолгий режиссерский университет.

Не формулируя книжным языком никаких четких
правил и законов, Лобанов тем не менее научил меня
прослеживать зигзаги человеческого существования, и
не рациональным скальпелем строго дозированного научного расчета, а широким вдохновением, иногда и

чаще всего гомерически веселым размахом истинного Художника и Творца. Возможно, там был элемент некоторого осознанного или неосознанного гипноза, то, о чем я так много размышляю теперь; возможно, там была какая-то тайна, которую сложно теперь разложить на простые величины, театральная магия, какой-то постепенный, почти мистический разогрев большого творческого организма.

Андрей Михайлович входил в аудиторию в состоянии некоторой прострации, сонные глаза его ничего не выражали. Первые минуты он словно бы отсутствовал, был где-то далеко от нас. Иногда в эти минуты он задавал нам наивные, казавшиеся смешными вопросы типа: «А кто у нас декан?» или «Когда же у вас будет сессия?» Может быть, это были последствия огромной нервной усталости или следы не затянувшихся ран от бесчисленных ударов со стороны далеких и близких людей. Как выяснилось позже, это было время жестоких и необоснованных атак на его режиссуру, его творческий стиль и метод, тех атак, что привели этого большого художника к столь раннему и трагическому уходу из жизни.

После непродолжительной расслабленности, какой-то загадочной, даже интригующей размагниченности начиналось медленное, но волевое восхождение к режиссерскому пробуждению, вдохновению и наконец — к экстазу. Экстаз, разумеется, на характеризовался у Андрея Михайловича взъерошиванием волос, экзальтированным жестом, горячительными возгласами и прочими атрибутами режиссерского «вдохновения». Лобанов был в высшей степени человеком скромным, старомодно учтивым, хорошо воспитанным, чуждым какой-либо рисовки и игры в мэтра. Он занимался делом и одним только делом, постепенно заполняя нашу тесную аудиторию своим подавляющим нас волевым излучением. (Я бы сказал теперь — «биополем».) Любой, самый пассивный или сонный студент, неуспевающий или голодный, помимо воли преображался, становился внимательным и жадным партнером. Лобанов размышлял и фантазировал, одновременно просто и причудливо, набрасывая все новые и новые краски, щедрые подробности и приспособления, нюансы возможных действий на сценической площадке.

Помимо того что мы постигали динамику скрытой человеческой борьбы и противостояния, мы еще и узнавали много нового о жизни вообще, о людях, которые казались нам прежде простыми, но теперь, под режиссерским рентгеном нашего Учителя, приобретали бесконечную сложность, глубину и ту самую ненавистную прежде, предаваемую анафеме «противоречивость», которая и составляет, видимо, таинство человеческой души. Лобанов как-то исподволь, незаметно собирал и стимулировал нашу фантазию, постепенно веселел, молодел, все более преображаясь, радуясь вместе с нами открытию все новых оттенков и закономерностей в поведении сценических персонажей, прорываясь в конце концов к высоким человеческим и режиссерским прозрениям.

Что такое режиссерское прозрение?

Думаю, что это очень простое, бесконечно правдивое человеческое деяние (поступок, слово, мысль), мизансцена, изумляющая нас своей экстравагантностью и вместе с тем правдой, логикой, простотой.

Андрей Михайлович Лобанов, как справедливо заметили многие его истинные ученики и исследователи творчества, являл собой предтечу новой советской режиссуры. Новая режиссура собирала в послевоенные годы силы для борьбы с болезненными наростами в нашем театральном деле, готовилась к восстановлению утраченного режиссерского могущества, к утверждению новых дерзких способов сценического мышления.

Теперь я понимаю, как важно в начале своего творческого пути оказаться в зоне притяжения сильной личности, непременно с самостоятельным художественным характером и авторитетом. Таких людей сравнительно немного в жизни, и встречи такие сравнительно редки, но счастлив тот, кто все-таки побывал рядышком. Я побывал.

Не исключено, что книгу мою будут читать молодые люди, поэтому мне бы очень хотелось научить их правильно жить, работать и при этом еще правильно себя вести. Со всеми здороваться, не грубить старшим, и даже вовремя сдавать зачеты, посещать все без исключения лекции. Такая у меня благородная задача. Чтобы молодые люди прониклись ко мне доверием, я бы хотел сказать, что раньше (в период моей молодости) все без исключения было лучше, чем теперь. (Написав эту ироническую фразу, я ужаснулся: а вдруг это действительно так? Двадцатое столетие любит преподносить сюрпризы. Не обернулась бы моя ирония черным юмором!) Но, действительно, погода была лучше, снегу зимой было больше, и молодежь тоже... Например, мы со значительно большим энтузиазмом играли прежде маленькие роли в различных московских театрах и с радостным старанием участвовали в массовых сценах. Начиная со второго курса мы приобщались к возвышенным и низменным сторонам закулисной жизни в Театрах имени Маяковского и имени Ермоловой. Особое изумление вызывал у нас тот факт, что за это еще и деньги платили. Имей я такую возможность — я бы с удовольствием сам приплачивал театральной дирекции за право выхода на подмостки прославленного столичного театра.

Самое большое творческое наслаждение испытывал я, участвуя в массовых сценах спектакля Николая Павловича Охлопкова по Говарду Фасту «Дорога свободы» в Театре имени Маяковского, где изображал подневольного негра. Я тщательно и подолгу гримировался, стараясь создать реалистический образ замученного негра, с усердием мазал коричневой морилкой шею, руки и даже грудь. Искал трагическую негритянскую внешность. Очень мешал нос, но я выходил на сцену не один, и некоторая странность моего облика терялась в большой толпе моих товарищей — негров, которые постоянно и настойчиво толпились во всех важнейших сценах спектакля. Когда моя мать специально пришла в театр, чтобы взглянуть, как я смотрюсь в этой роли, пришлось даже попросить товарищей слегка раздвинуться, так много нас толпилось, и все толпились с удовольствием и отдачей. Многие актеры театра подолгу и с интересом косились в нашу сторону, а когда косились на меня, то некоторые даже теряли серьез. Замечательно игравшая в этом спектакле Вера Марковна Орлова, я думаю, никогда бы не поверила, что так может выглядеть ее будущий главный режиссер...

Сам по себе спектакль нам страшно нравился, особенно когда под громкую музыку вращался сценический круг и на нем горел крест, подожженный куклуксклановцами. Этим местом многие любовались, а я особенно. Куклуксклановцы очень украшали спектакль. В те далекие времена наша режиссура с огромным и нескрываемым удовольствием, иногда даже с упоением, показывала нам разного рода крайности буржуазного загнивания. Особый подъем испытывали также некоторые кинематографисты, демонстрируя нам самую последнюю степень буржуазной деградации — ночной Бродвей — ненавистную всем честным людям светящуюся рекламу, когда разноцветные буквы не только ритмично вспыхивали, но и прыгали с места на место под оглушительную джазовую мелодию. Последнее, по мнению режиссеров, всегда усиливало разоблачительный пафос, придавало всему делу особую ярость и негодование.

В то далекое время на разоблачение страшных признаков западной цивилизации — жевательных резинок, безалкогольных напитков типа «кока-кола», ритмических танцев, джазовых оркестров, зауженных мужских брюк и ботинок на микропоре — тратились большие усилия и средства, уходило много типографской бумаги и авторского гонорара.

Очень тонко и остроумно, с прекрасной иронией и грустью воссоздали на сцене эти «завихрения» нашей истории драматург Виктор Славкин и режиссер Анатолий Васильев. Эти талантливые люди сочинили памятный всем любителям театрального искусства спектакль «Взрослая дочь молодого человека», сочинили его изящно и вдохновенно в период феноменального творческого взлета, что пережил однажды летом многострадальный коллектив Московского драматического театра имени К.С.Станиславского.

Спектакль давно исчез из московского репертуара, исчез необоснованно и поспешно, оставив в памяти москвичей ощущение благой и возвышенной театральной легенды.

Возможно, это одно из самых гнусных преступлений в сфере театрального руководства со стороны бывшего Отдела культуры МГК КПСС. По театру с людоедским скрежетом прошлась страшная и безжалостная цензурная мясорубка.

Забегая вперед, скажу, что не раз в жизни я испытывал ее сильнейшее шоковое воздействие. Конечно, всегда были люди, которые не боялись этого партийного пресса, оставались абсолютно свободными людьми. За мной, однако, был театр, его судьба, и сам я, очевидно, не принадлежал к тем смельчакам, которые в восьмером могли выйти на Красную площадь в 1968 году, чтобы протестовать против вторжения наших танков в Чехословакию.

Мой протест в 1968 году имел достаточно скромный и даже комедийный характер. Когда по приказу свыше на многих советских предприятиях состоялись митинги, коллектив Московского театра сатиры, где я к тому времени работал, был также собран в зрительном зале, где директор с грустными глазами в конце небольшого вступительного слова спросил: «Кто за то, чтобы ввести наши танки в Чехословакию?» Именно в этот момент меня посетила «гражданская смелость», и я на цыпочках, сопровождаемый изумленными взглядами артистов, осторожно покинул зал, где «решалась» судьба братской Чехословакии.

Мой отказ от голосования, очевидно, был квалифицирован как приступ нездоровья, или просто в тот момент кто-то не захотел из этого раздувать лишнюю историю.

Но вызов несколько лет спустя на заседание бюро МГК КПСС в связи с «пропагандой рок-музыки» и «ошибками в репертуарной политике комсомольского театра» стоил уже иных нервных затрат и пакостного ощущения вползающей в душу безнадеги.

Спектакль «Юнона и Авось», современная опера в двух частях Андрея Вознесенского и Алексея Рыбникова, принятая Главным управлением Исполкома Моссовета поначалу благосклонно (что почти необъяснимо), вскоре стала вызывать всевозрастающее раздражение в партийных и правительственных инстанциях. В какой-то момент нам с Вознесенским показалось, что мы, что называется, «проскочили», и мы даже отправились в Богоявленский собор ставить свечки Казанской Богоматери, сценический лик которой является в облаках, нависающих над декорациями Олега Шейнциса.

Действительно, в 1981 году православные церковные песнопения на московской сцене, упование к Всевышнему, торжественный подъем огромного царского Андреевского флага и финальная Аллилуйя, исполняемая всеми участниками спектакля, — все это совершенно не соответствовало строгим идеологическим установкам партийной цензуры. Почему все-таки спектакль комиссия главка приняла с первого раза? Объяснить не возьмусь. Возможно, спектакль, его истинно патриотический настрой, замечательная музыка Алексея Рыбникова — все это просто, по-человечески понравилось членам строгой комиссии. Но мало ли, что им, может быть, и нравилось, — они все равно это ломали. Какой-то элемент чуда все равно присутствовал, поэтому Вознесенский был прав, предложив мне немедленно отправиться в храм.

Нам в конце концов разрешили играть спектакль один раз в месяц, но ситуацию вокруг «Юноны и Авось» резко подпортил германский журнал «Штерн», который через некоторое время разразился рецензией на наше сочинение. Не знаю, что за цель он преследовал, но свою заметку журнал напечатал в центре первой страницы. Это был большой «подарок» со стороны немецких друзей. Цитирую почти дословно: «Звуки горячего рока доносятся до стен Кремля. Московский театр расположен в центре русской столицы. В связи с тем что религия в Советском Союзе почти полностью

47

уничтожена, единственное религиозное питание для молодежи осуществляет ныне Московский театр имени Ленинского комсомола». И еще что-то в этом роде.

Немецкая заметка, конечно, не осталась без внимания, и цензурный аппарат, перегруппировав силы, вскоре перешел в наступление.

Когда мы с директором и парторгом получили приглашение явиться по указанию Отдела культуры МГК КПСС на заседание бюро этой всемогущей организации, мой прекрасный и умный друг, директор театра Рафик Гарегинович Экимян откровенно затосковал, хотя я продолжал бодриться.

Кое-какие поводы к неуверенному оптимизму вроде бы были. Во-первых, на деятелей культуры в то время уже обрушилось достаточное количество репрессий, что имели известный зарубежный резонанс. Во-вторых, были люди с самого верха, которые нам тайно симпатизировали. Накануне заседания бюро МГК КПСС нас трогательным образом посетил с коротким секретным визитом один из помощников В.В.Гришина. Он очень быстро и замечательно объяснил мне, как надо вести себя на заседании бюро. Оказывается, надо обязательно немного попятиться, признать некоторые ошибки, но потом стоять как скала — упереться и ни в коем случае не признавать за собой каких-либо серьезных просчетов, нельзя также публично клясться в любви к партии и ее высшему руководству, — сотрут в порошок. Очень благодарен этому человеку за трогательную человеческую заботу и посвящение в интересные для режиссера драматургические партийные традиции.

На следующий день мы с Экимяном и парторгом Б.Н.Никифоровым толпились в «предбаннике» — комнате, смежной с кабинетом члена Политбюро ЦК КПСС В.В.Гришина, вместе с другими озабоченными физиономиями, ожидающими поочередного вызова в кабинет. Поначалу я, помнится, был настроен достаточно бодро и уверенно перебирал в уме заготовленные аргументы своей защиты. Однако через некоторое время, заглянув мельком в комнату, где заседало бюро, и увидев мрачные лица верховного московского руководства, я вдруг почувствовал, что настроение мое стало киснуть. От физиономий повеяло таким мрачным ожесточением, таким смердящим духом, что я стал потихоньку сомневаться в возможности выйти отсюда живым.

Именно этот момент в моем настроении и был зафиксирован умным и немногословным Экимяном. Вообще, он никогда ничему особенно не огорчался, как, впрочем, и не впадал в безудержную радость. Обладая гигантским театральным опытом, он всегда предостерегал меня от крайностей в режиссерском настроении, потому что меня постоянно швыряло из необъяснимого восторга в депрессию. Кроме того, Экимян еще обладал бесценным качеством — фильтровал негативную информацию и доводил до моего сведения только те неприятности, которые невозможно и ненужно было скрывать. Но уж если я вдруг впадал в восторг по поводу хвалебной рецензии или хорошо сколоченной декорации, он, помнится, смотрел на меня, как лев на резвящегося котенка, с некоторой снисходительной симпатией и даже отеческим сожалением. Основная его забота всегда состояла в том, чтобы я не сказал чего-нибудь лишнего актерам, особенно на общих собраниях. Хоть и вяло, но он всегда укорял меня за неосторожные социально-политические формулировки, всячески подчеркивая, какая тесная связь установлена у коллектива с соответствующими органами. Однажды он даже участвовал вместе со мной в наглядном, чисто воспитательном опыте.

Я очень не любил висящую у нас в фойе картину «Выступление В.И.Ленина на III съезде комсомола» и каждый раз вздрагивал, когда проходил мимо. Экимян тоже не питал симпатий к этому живописному шедевру, написанному, кстати, целой артелью социалистических реалистов. Как-то во время летнего ремонта в театре он с хитрым глазом предложил мне избавиться от шедевра — временно убрать его в служебное помещение. Пока картину выносили из фойе, Экимян печально наблюдал за моей нескрываемой радостью. Примерно через час в его кабинете зазвонил телефон и последовал короткий приказ: «Повесьте картину на место!» «Объясните, что у нас ремонт», — неуверенно посоветовал я многоопытному директору, но тот только печально улыбнулся. Впрочем, потом молча поднял перед моим носом указательный палец, чтобы я еще раз осознал, какое внимание оказывается мне в некоторых инстанциях.

Я никогда не слышал из уст Рафика Гарегиновича никакой громко произнесенной крамолы, она читалась в его скорбном взоре и некоторых ободряющих междометиях, которые он позволял себе вместе с одобрительными кивками в мой адрес.

Однако в момент когда моя уверенность перед кабинетом Гришина стала предательски выскальзывать из организма, Экимян, как опытнейший психотерапевт, четко зафиксировал медленно наползающий психический надлом в режиссерском теле. Он молча подозвал меня к щелочке, которую лично образовал дверью в кабинет московского владыки, и, указав в сторону сидящего (наполовину спрятавшегося за специальным секретером) члена Политбюро, тихо спросил: «Знаете, кто это?.. Государственный преступник! А эта... — Он указал пальцем на чудовищного вида даму с расплывшимся лицом. — Это ....».

Я не люблю непечатных выражений, появляющихся в печати, поэтому, кем являлась дама, которую он, оказывается, знал не один год, а также какие деяния числились за другими близсидящими субъектами высшего партийного руководства Москвы, я вынужден передать многоточием.

Тихий монолог Рафика Гарегиновича был недолгим, но всеобъемлющим. Цель монолога — укорить смелого художника за посетившую его трусость — достигла своей цели, и я переступил порог бюро горкома с твердым убеждением, что бояться этого судилища постыдно.

Кстати, посетившие меня покой и уверенность в какой-то степени сыграли свою роль. В ответ на обвинения в злонамеренном следовании традициям современного загнивающего Запада я спокойно развил нехитрую мысль, что передовые технологии во всем мире походи друг на друга. Наш сверхзвуковой авиалайнер похож на ихний «Конкорд», а отечественная бас-гитара не может выполнять функции фагота. Следуя полученным накануне инструкциям, я, конечно, слегка попятился и сказал, что в театре не все получается так, как хочется. «Как хочется, получается только у МГК КПСС», — подумал я смело, но вслух этого не сказал, зато в дальнейшем стоял перед членами бюро как скала. Нет, даже как утес, поэтому дело закончилось не расстрелом, а практически орденом. Формулировка «строго указать» после подобного рода вызовов на бюро всегда рассматривалась как награда.

Я вышел настолько обрадованный, что позволил себе фривольность. Подойдя к сидящему за телефоном специалисту по культуре, сказал: «Позвольте позвонить вдове!» Жена, действительно, сидела дома у телефона и вполне обоснованно волновалась.

На этом мне хотелось бы закончить серьезное лирическое отступление и снова вклиниться в неконтролируемый поток сознания, который ведет себя совсем не так разнузданно, как может показаться.

В 1955 году я завершил свое актерское образование; научился играть на сцене по тем временам вполне пристойно, но по-настоящему здорово овладел, по-моему, лишь искусством сценического боя на шпагах, кинжалах, кулаках и считал несомненной ловкостью и умением падать с лестницы лицом вниз, а также набок, навзничь, кувырком, неожиданно и с разбегу. Эту мою творческую особенность высоко оценил один цирковой режиссер, который пригласил меня по окончании актерского факультета в объединение «Цирк на сцене». Однако мне все-таки хотелось работать в каком-нибудь преуспевающем столичном театре. (Возможно, без серьезных на то оснований.)

На нашем курсе учились способные люди — Люся Овчинникова, Юрий Горобец, Владимир Васильев, Феликс Мокеев, Лера Бескова и еще некоторые другие, которые по окончании института пошли служить в хорошие столичные театры. Меня туда почему-то не пригласили. Я ходил по театрам, стучался и робко спрашивал: «Не нужны ли лишние артисты?» Поскольку в каждом театре артисты были в основном лишние, я так и не сумел никому понравиться.

Осенью 1955 года я подписал распределение в Пермский областной драматический театр, получил подъемные и выехал по месту службы. Я тогда еще не понимал, что значит «потерять» Москву, относился к своему отъезду бесстрашно, старался радоваться своему первому самостоятельному броску в неизвестность и заскучал, пожалуй, только выбравшись с потертым чемоданом на унылой железнодорожной станции, что расположилась на дальней окраине большого и не слишком красивого города.

Мне положили зарплату, поразившую меня своим великолепием, — аж 690 рублей (после хрущевской реформы — аж 69). В уютном здании Пермского облдрамтеатра меня ласково встретили, ободрили и поручили играть разных смешных людей. Я старался подражать хорошим московским артистам, в особенности Вицину, в то время блистательно работавшему в Театре имени Ермоловой, за что меня стали хвалить на собраниях и в местной печати. Я никогда не вел прежде самостоятельной жизни, мало что умел и понимал, но довольно быстро стал набирать иной для себя жизненный темп. Произошла внутренняя перестройка и общая активизация моего организма, чего не случилось бы, конечно, останься я в Москве. С точки зрения будущей профессии три года, проведенные в Перми, были крайне необходимым, стимулирующим фактором. Ангелхранитель знал, что делал. Он как будто бы специально посадил меня в центрифугу и стал тренировать в режиме всевозрастающих перегрузок.

Я стал заниматься всем сразу: писать детские стихи для местного издательства, рисовать и печатать карикатуры для молодежной и областной газет, сотрудничать на радио, организовывать в театре «капустники» и выпуски юмористической стенной газеты. Мне кажется, что эта бешеная активизация происходила помимо воли, словно во мне работал неподвластный моему разумению механизм. Очевидно, я собирался с силами для какой-то другой жизни, и мой Ангел-хранитель, убедившись, что я не слишком умен, энергично взял на себя заботу о моем будущем. Несмотря на некоторую иронию, я подозреваю, что так оно и было на самом деле. Не хочется снова затрагивать тему Провидения. Во всяком случае, на бумаге. В голове же это подозрение обосновалось прочно и навсегда.

Последним, очень важным тренировочным прыжком перед новым жизненным периодом стало мое появление в студенческой среде Пермского государственного университета. Случай привел (лучше сказать — «вывел») в то самое место, где произошло решающее для меня событие, — я почувствовал запах режиссерской профессии.

Ведущий актер Пермского театра В.А.Чекмарев, руководивший университетским театральным коллективом, пригласил меня помогать ему в этом нелегком деле. Коллектив был очень большим, и работы хватало на двоих. Пользуясь какими-то московскими воспоминаниями и неожиданно нахлынувшими режиссерскими фантазиями, я поставил погодинских «Аристократов». Поставил достаточно забавно, потому что был глуп и не представлял себе, чем был Беломорско-Балтийский канал на самом деле. А потом, во время репетиций «Оптимистической трагедии», меня посетило какое-то новое ощущение покоя и веры. Я поверил, что могу навязать большому количеству людей свою волю. Слово «навязать» — не самое удачное, но режиссерский талант, как я теперь понимаю, может проявиться по-настоящему лишь в человеке с ярко выраженными качествами лидера. У меня таких достоинств от природы не было. Я никогда не считал себя сильным человеком, не знал за собой никаких бойцовских качеств, в ГИТИСе никогда и ни в чем не лидировал, свыкся с мыслью, что заслуженно нахожусь где-то во «втором эшелоне». В пермском самодеятельном драмколлективе я почувствовал в себе, помимо режиссерских склонностей, неожиданные резервы нервного, волевого характера. Я почувствовал, что ребятам со мной работать интересно и я продолжительное время могу держать внимание большого коллектива людей.

Вот это очень важная черта в нашей профессии — плотно держать внимание. В 1957 году в студенческой среде я вдруг почувствовал себя хорошо, почувствовал, что могу руководить постановочным процессом, отдавать какие-то команды и мои команды выполняются. Процесс тут был, конечно, двусторонний. Я многое получил от своих друзей-студентов как в Пермском университете, так и — особенно — в Студенческом театре Московского университета, но это предмет особого разговора.

Режиссером я все-таки стал не случайно. Просто никогда не мечтал о режиссерской профессии, но, когда случайно, как мне кажется, соприкоснулся с ней, понял и ощутил себя человеком, имеющим к этой профессии некоторую генетическую и психическую предрасположенность. В последующие годы это ощущение окрепло.

В конце 1958 года мы с женой приняли авантюрное решение — вернуться в Москву. Точнее — принимала решение она. Ее, конечно же, послало мне небо. Без нее я вряд ли бы сдвинулся из Перми, во всяком случае в ближайшие лет 10—15, а позже двигаться, вероятно, было бы бессмысленно.

Я провел несколько месяцев в мучительных колебаниях. Нина представляла интерес для многих театров, я же не представлял решительно никакого интереса. Андрей Александрович Гончаров по наущению критика

Владимира Блока оглушительно крикнул ей в телефонную трубку, чтобы приезжала, обо мне же ничего определенного не сказал, но все-таки добавил потом, чтобы захватила и меня на всякий случай.

Когда мы встретились в Москве на Спартаковской улице, в театре, который только что возглавил Гончаров, у меня возникло подозрение, что Андрей Александрович, погрузившись в мучительные воспоминания, так до конца и не припомнил, зачем, собственно, было меня захватывать. Но хорошее дело им было уже сделано: я снова получил московскую прописку, и совсем не обязательно было мне работать на Спартаковской улице, важно было вернуться.

Обогатив моим присутствием московскую театральную жизнь, Гончаров в дальнейшем несколько раз возникал передо мной, каждый раз весьма кстати, осуществляя непосредственное руководство моим режиссерским становлением и всячески регулируя мои дальнейшие творческие пути. В 1969 году, после того как мои спектакли были признаны глубоко и безнадежно ошибочными, Андрей Александрович предложил мне поставить на сцене возглавляемого им Московского театра имени Маяковского «Разгром» А.Фадеева. Это был смелый поступок Гончарова в критический момент моей режиссерской судьбы. Я считался зримым воплощением всех худших сторон заблуждающегося и вредного художника сцены. Инициатива Гончарова, его помощь и поддержка очень многое значили для меня тогда. Но на этом Андрей Александрович не успокоился. Последний раз, в 1983 году, он снова появился неожиданно и распорядился на сей раз по линии педагогической деятельности — велел идти в ГИТИС, к нему на курс, преподавать режиссуру. Теперь я — профессор кафедры режиссуры РАТИ. В России к этому народ относится спокойно, а в Германии, например, все при общении уважительно улыбаются, склоняя голову, думают, правда, профессор.

Приглашение меня на преподавательскую работу обернулось для Андрея Александровича большой головной болью. (Как и в отношении А.В.Эфроса.) Несмотря на мое главрежество, я продолжал находиться во властных министерских сферах под большим подозрением, и добиться разрешения на мою работу в нынешней Российской Академии театрального искусства оказалось делом очень непростым. Однако Гончаров этого дела не убоялся и своего добился.

Возвратившись из Перми в Москву, я сперва почувствовал себя очень неуютно, но мне пришел на помощь мой друг и сокурсник Владимир Васильев, артист Московского театра имени Ермоловой. Он упросил своего отца, известного режиссера Петра Павловича Васильева, руководившего в то время Московским театром имени Гоголя, взять меня к себе, чтобы я не мучился. Петр Павлович без особого удовольствия, но все же выполнил настоятельную просьбу своего сына, и я начал изображать восставший народ в спектакле «Угрюм-река» по роману Шишкова. Так продолжалось до тех пор, пока моя жена, актриса Нина Лапшинова, устроившись на работу в Московский театр миниатюр под руководством писателя Владимира Полякова, не упросила своего худрука взять меня к нему, чтобы я не мучился в Театре имени Гоголя. Из Московского театра миниатюр я уже попросился сам, самостоятельно, в 1964 году.

К тому времени я пережил определенный режиссерский успех в Студенческом театре Московского государственного университета и почувствовал, что не могу больше существовать в качестве актера. Я окончательно поверил в себя, свою новую профессию и сделал это под серьезным воздействием студенческой среды, артистов-любителей, «воинствующих дилетантов», которые превратили к концу 50-х годов Дом культуры гуманитарных факультетов МГУ на улице Герцена (ныне улице Большой Никитской) в мощный очаг новых театральных и драматургических идей.

Это особая тема. Вокруг Студенческого театра МГУ, организованного в свое время Ролланом Быковым, и студии «Наш дом» М.Розовского, И.Рутберга и А.Аксельрода сформировалась большая группа будущих театральных профессионалов, а также литераторов, журналистов, будущих телевизионных реформаторов.

В среде «воинствующих дилетантов» я набрался такого неистового максимализма, что мне его хватило с избытком по сию пору. Все революции на свете делаются людьми до сорокалетнего возраста. Сейчас мне революций больше не хочется, мне хватает тех, что уже были, но некоторая шальная отвага продолжает гулять по организму, хотя и не круглосуточно.

При нашем в целом презрительном отношении к любителю стоит подчеркнуть, что любитель, достигший высокого интеллектуального уровня, обладающий человеческой незаурядностью, может продемонстрировать такие качества, до которых не дотянется иной преуспевающий профессионал. Г.А.Товстоногов, рассуждая о Треплеве — герое чеховской «Чайки», убедительно доказал, что «нигилисты», подобные Треплеву, ниспровергатели общепризнанных норм в искусстве, необходимы обществу даже в том случае, если сами мало что умеют и уступают в профессионализме Тригориным.

Треплевых скопилось в те годы на улице Герцена предостаточно, они часто весьма невнятно играли на сцене, городили что-то неумелое и несуразное в режиссуре и драматургии, но вместе с тем постепенно создавали благодатную почву для интенсивного творческого созидания, для неординарного мышления, для поиска новой театральной истины. Дилетанты с улицы Герцена лучше иных профессионалов чувствовали время и его скрытый затаенный пульс, они лучше других понимали, во имя чего трудятся, что хотят сделать и что делать не хотят ни под каким видом.

Студенческий театр тогда возглавлял замечательный советский кинорежиссер Сергей Иосифович Юткевич, с которым у меня на долгие годы завязалась творческая дружба. Вместе с Юткевичем мы поставили «Карьеру Артуро Уи» Бертольда Брехта — спектакль долго шел на сцене театра, с успехом выезжал за рубеж. Но до брехтовской постановки в моей режиссерской судьбе произошло одно весьма существенное и принципиальное событие — дебют на сцене Студенческого театра со спектаклем по пьесе Евгения Шварца «Дракон».

Трудно сейчас судить, насколько хорош был тот спектакль, поставленный в 1962 году, но он запомнился московским зрителям. На одну из многочисленных генеральных репетиций потянулись авторитетные деятели театра, среди них Олег Ефремов, Валентин Плучек, Назым Хикмет, Афанасий Салынский. Они создали определенное давление, и спектакль был принят строгой цензурной комиссией. Он просуществовал несколько месяцев — до знаменитой выставки «абстракционистов» в московском Манеже и, разумеется, после провозглашения Хрущевым термина «пидарасы» был немедленно запрещен.

Сергей Иосифович Юткевич после Андрея Михайловича Лобанова стал вторым человеком, оказавшим на меня серьезное личное воздействие. Эйзенштейновский «монтаж аттракционов» из малопонятного абстрактного понятия вдруг превратился для меня в практическое руководство к действию. Юткевич необычайно расширил мое представление об эстетической стороне режиссерского дела. Он обладал феноменальным эстетическим «обонянием» и чувством стиля.

На репетициях Юткевича я вообще впервые познал новое для себя чудодейственное ощущение от сценического приема. Я почувствовал радость от того, как уходит, дематериализуется литературный, сюжетно-смысловой характер сценической акции и взамен него выступает на первый план эстетически сбалансированное режиссерское построение, а не просто формообразующее начало — оно обретает на наших глазах новый глубинный смысл, становится сердцевиной, основой основ. Режиссерский аттракцион вытесняет поверхностную «литературу», хотя сам в конце концов становится такой же «литературой», но уже на ином, высшем витке своего театрального бытия. На сцене рождается иная художественная ткань, менее осязаемая с точки зрения здравого смысла, но излучающая необходимую порцию таинственного внутреннего света. Истинное искусство обязательно включает в свой расчет человеческое подсознание. Формообразующая работа режиссера — это прежде всего работа со зрительским подсознанием.

Эстетика для меня не стилевой декоративный знак, сегодня эстетика в моем представлении — это сгусток энергии. Думать так и формулировать проблему подобным образом я начал сравнительно недавно, но начало такого ощущения восходит к первым дням нашей совместной работы с С.И.Юткевичем.

Помимо существования в недрах студенческой самодеятельности, которое вывело меня в профессиональную режиссуру, я, разумеется, пытался еще как-то зарабатывать деньги, потому что в Студенческом театре моя зарплата была чисто символической.

Кроме крайне сомнительных художественных достижений в Московском театре имени Гоголя, я пытался потом, с помощью жены, не слишком удачно актерствовать в Эстрадном театре миниатюр под руководством Владимира Соломоновича Полякова, личности, по-моему, недооцененной в нашей юмористической литературе, эстраде и кинематографе. В своей первой книге «Контакты на разных уровнях» я попытался подробно описать этот уникальный «домашний» театр и свое актерское пребывание там с некоторыми режиссерскими поползновениями. Но ничего примечательного ни в режиссуре, ни в эстрадном лицедействе мне сделать там не удалось — разве что поумнеть, что немало. По-моему, я на всю жизнь научился распознавать все градации эстрадного юмора, от притчеобразных высот до самой низкопробной пошлятины.

Может быть, самым главным импульсом, который я получил от Полякова, — было упрямое желание взяться за перо. Под его непосредственным психологическим воздействием я приобрел очень ценный и необходимый режиссеру литературный навык.

Режиссеру не обязательно сочинять оригинальные драматургические произведения, но излагать мысли на бумаге, формируя то, что в кинематографе называется режиссерским сценарием, — крайне желательно. По-моему, необходимо.

Современная режиссура все дальше уходит от старомодно-хрестоматийного воспроизведения на сцене классических или просто приглянувшихся режиссеру драматургических сочинений. Сделать собственную сценическую версию, закономерно опустив некоторые фрагменты драматургической ткани и субъективно деформировав другие в соответствии с собственной фантазией, — дело в высшей степени необходимое. (Вопрос о границах допустимого вмешательства в литературную ткань классического произведения, степени ее режиссерской деформации — вероятно, вопрос культуры и таланта.)

В конце концов, при минимальной, чисто литературной одаренности мне удалось предварительно сочинить на бумаге некоторые мои спектакли. Я никогда не рассматривал написанное мной как набор обязательных словесных или мизансценических построений, но во всех последних театральных работах я, как правило, имел прочный драматургический каркас. Потом при соприкосновении с живой и подвижной индивидуальностью актера и, вообще, с некоторыми факторами музыкального, ритмического свойства очень многое видоизменялось. Вместе с актерами я с удовольствием импровизировал, не стесняясь предлагать даже самые рискованные, нелогичные, казалось бы, акции — из них потом формировалось что-то третье, четвертое, словом, какая-то новая, неизвестная мне прежде сценическая ткань, но я чувствовал при этом себя уверенно — потому что имел «режиссерский скелет», имел достаточно надежные тылы.

Я не говорю сейчас о своих теле- и киноработах. Там, оперируя большими экономическими величинами, всегда приходилось не только писать, но многие идеи схематично зарисовывать.

В последних своих театральных работах, таких, как «Варвар и еретик» по Достоевскому и «Мистификация» Н.Садур по Гоголю, я, может быть, от наглости, а может быть, со страху сочинял отдельные сцены и диалоги. Иногда на помощь приходил Григорий Горин, из которого я по дружбе вытягивал некоторые фразы, усиливая комедийный эффект там, где он был необходим, но очень часто сочинял сам заранее. Иногда побуждал к такого рода творчеству некоторых артистов. Какое-то комедийное чутье во мне безусловно бродит, единственное, что меня всегда тревожило и настораживало, — не сорваться бы в банальную эстраду или, не дай бог, в юмор стиля КВН.

Вкус у меня не безупречный, я это хорошо знаю и стараюсь потому пропускать все свои веселые находки через строгие фильтры, которые выстраиваю сам и каждый раз.

Вероятно, мое увлечение юмористическими рассказами, которые я стал сочинять, работая в театре Полякова, очень помогло мне. Рассказы писались, публиковались и даже переводились за рубежом, как я это потом часто объяснял, в связи с настоятельной потребностью в дополнительном заработке, но, вероятно, это не совсем так. Я инстинктивно чувствовал, что надо тренировать мозги и сочинять, что-то писать, выдумывать, иногда мучительно, из последних сил, во имя некоторой весьма туманной цели, которую не мог тогда точно определить, но знал, что стараюсь не зря, — сколачиваю профессиональный капитал. Так и оказалось, хотя от своих юмористических рассказов теперь вздрагиваю, даже от самого воспоминания воротит. Однако знаю цену «репризе». То есть смешной фразе, иногда одному смешному слову. Некоторыми своими шутками вызываю в зрительном зале Ленкома громовой, дружный хохот — тогда, не скрою, радуюсь этому, как когда-то радовался Поляков своим репризам, но и удивляюсь тоже, потому что хватает ума не считать себя писателем. Не с каждым юмористом, выпустившим несколько тонких сборников, такое случается.

В Театре миниатюр долгое время шла моя миниатюра «Кто виноват», за которую года два-три получал авторские отчисления, чем, разумеется, очень гордился. И писать преимущественно глупые рассказы научился в театре Полякова, после того как он познакомил меня с не издававшимися в советское время рассказами Аверченко. Очень проникся к его главному, замечательному герою, от лица которого написано много любимых мной рассказов, думаю, во многом непревзойденных. Характер этот показался мне очень близким и дорогим. Был он наивен, чуть придурковат, но с большими геополитическими претензиями. Чего стоит начало одного из повествований Аверченко: «Проснулся я утром и подумал — а не продать ли мне Россию?»

Смешная глупость мне, наверное, все-таки нравится больше, чем юмор умный и чересчур тонкий. Конечно, делаю вид, что тянусь к формам изысканным, на самом деле любимое место у Горина в «Том самом Мюнхгаузене», когда неожиданно и не вовремя в городе звучит музыка, герцог недоумевает и спрашивает у главнокомандующего, откуда оркестр.

— Ваше величество, — объясняет главнокомандующий, — сначала намечались торжества, потом аресты... Потом решили совместить.

Некоторые недоброжелатели с кривой усмешкой относят меня к последователям «головного» направления в театральной режиссуре. Такое мое принудительное «отнесение» я с негодованием отвергаю: все мои принципиальные, наиболее приличные сценические и кинематографические сочинения рождались и рождаются на основе сугубо внутренних интуитивных побуждений. Рациональный, математический расчет хорош на завершающем этапе творческого свершения. Истинно «сумасшедшую» театральную идею, равно как и удачную мизансцену, с помощью логарифмической линейки не построишь. Стало быть, раз уж неожиданно вторгся в эти необъятные и тревожные области, то, не дожидаясь подходящего композиционного момента, углублюсь в замысловатую вязь нынешних режиссерских исканий.

Сфера эта туманная, с большим налетом опасных субъективных ощущений и даже галлюцинаций. Галлюцинация в искусстве, впрочем, не всегда есть аномалия медицинского привкуса, часто она есть проявление творческого поиска или даже серьезного режиссерского достижения (достаточно вспомнить в этой связи заслуги Ингмара Бергмана и Федерико Феллини). Можно, конечно, сделать вид, что я совершенно свободен от воздействия этих великих режиссеров, но лучше такого вида не делать и постараться прослыть сочинителем честным и объективным. А если так, то следует признать, что Федерико Феллини (вместе с композитором Нино Рота) оказал ошеломляющее воздействие на современное российское театральное и киноискусство, начиная с самых первых пересказов и фантазий на темы великого фильма «8 1/2», в числе которых числится, на мой взгляд, знаменитый в свое время спектакль А.Эфроса по пьесе Э.Радзинского «Снимается кино». При желании можно написать докторскую диссертацию на тему влияния Феллини на сознание российских режиссеров. Не всегда это воздействие было прямым и буквальным, но легендарный Мастер на наших глазах осуществил высокохудожественный и новаторский прорыв в глубины экзистенциализма, бердяевского «самопознания», когда исследование человеческой судьбы строилось не по принципу объективного движения по событийному ряду причинно-следственной цепочки, а в противопоставлении личности субъекта и всех атакующих его эмоций и событий.

В этом смысле мое «Доходное место» А.Н.Островского в Театре сатиры явилось познанием жизни одного единственного героя, погруженного в клоаку враждебной среды. Еще раньше это случилось в спектакле Студенческого театра «Хочу быть честным» по рассказу В.Войновича.

Феллини в жестоком конфликте с окружающей средой сообщал своему герою мучительное движение и мучительное восхождение к истокам собственной человеческой сущности. Об этом писать и фантазировать можно долго, привлекая все новые и новые мотивы иных режиссерских и драматургических построений, замешанных на эмоциональных и подсознательных прозрениях Феллини.

В природе театра есть своеобразное буйство, в нем живут атомы древних вакхических безумств, которым предавались наши предки. Можно жаловаться на дурную наследственность, но генетика упряма, полную независимость от нее мы не обретем и потому попытаемся понять некоторые первоосновы нашего вдохновения, утопленные в позднейших напластованиях, скрытые под фундаментальными сооружениями иногда лишь мнимой идейно-художественной значимости.

Определенные точки соприкосновения глубинного театрального эффекта и состояния, когда рассудок словно «выключен», видны даже невооруженным глазом. Можно назвать это магией театра. Можно назвать прекрасной спецификой и даже театральным волшебством. Ясно, что само по себе содержание происходящего на сцене не может привлечь нас после второго, третьего, шестого посещения. Мы же знаем отдельных, «отравленных» театром зрителей, например Сталина, который хаживал на мхатовские «Дни Турбиных» семнадцать раз. Похожих примеров можно привести много.

Завораживающая магия присутствует в музыке, ибо она и есть самое «бессмысленное» искусство. В отдельных видах музыкального сочинительства наркотический эффект присутствует в особо зримых, грубых и сильнодействующих дозах; в каких-то видах музыкального творчества — едва заметен. Но заметен. Присутствует. Звуками африканских тамтамов можно ввести в буйную истерику всю первобытную деревню, а потом, в изнеможении, уложить ее штабелями на землю. Умеют такое проделывать некоторые африканские «режиссеры-постановщики». Но можно почти то же самое проделать и с сегодняшним молодежным зрителем под сводами громадного концертно-спортивного сооружения. Децибелы будут играть тут свою роль, но не они одни. Еще и ритмические построения и эмоциональные оттенки. И не надо думать, что к подобному воздействию расположена только сотканная из недостатков молодежь. Наши деды и прадеды тоже имели сильнодействующее «зелье» — цыганские напевы.

К цыганским ритмам сложилось, в общем, довольно устойчивое отношение: ценим, по-своему уважаем, но знаем, что эта мощная атака на нашу подкорку не обязательно относится к проявлениям высокого искусства. А как быть с камерным скрипичным концертом? Принято говорить о чисто эстетическом, возвышенном эффекте. А мне как раз и кажется, что эстетика становится действенной, а следовательно, в моем представлении, выходит за нулевую отметку, когда обретает она, эстетика, характер энергетического потока.

Вообще, все созидаемое в искусстве связано друг с другом, подчас незримыми волнами взаимовлияний, но есть в нашей театральной истории события, что оставляли долгий и многообразный след в отечественной режиссуре, — таковым, кстати, явился показанный в Москве в шестидесятые годы спектакль Питера Брука «Король Лир». Его прежде всего чисто эстетические запахи основательно пропитали сознание режиссеров-постановщиков. Не стоит от них открещиваться, как не стали это делать основатели МХАТа применительно к собственным впечатлениям от гастролей труппы немецкого герцога Мейнингенского с режиссером Кронеком в конце XIX века.

Как только возникает устойчивый ряд энергетических коммуникаций между сценой и зрительным залом, начинается акт театрального искусства. Ни секундой раньше. Этот поток энергии, преобразующийся в энергообмен, должен вызывать, и довольно скоро, может быть с первой секунды, устойчивое чувство «удовольствия». Его не нужно и невозможно объяснить чисто литературными, идейно-смысловыми достоинствами, они сродни «буйному» и «неотвратимому» дионистическому вдохновению. Иногда такой эффект называется у нас «атмосферой», иногда мы придумываем для него другие расплывчатые термины и снова входим в зону эфемерную, лишь отчасти осязаемую, да и то не всеми.

Если читатель согласился со мной, что музыке присуще подобное «завораживающее начало», стоит пойти дальше и признать, что оно присуще и любому другому искусству.

Зачем об этом думать? Чтобы отдать себе трезвый отчет в том, что искусству один информационный строй, одна «литература» — недостаточны. Существует в нашей практике, увы, крайне вредный соблазн — подменить истинную театральность одной только иллюстративно-информационной вывеской. Впрочем, то же самое относится и к живописи, и к кино...

Возможно, самое интересное и загадочное действие описанного выше эффекта можно ощутить в изобразительном искусстве. Здесь мы уйдем еще глубже, в самые далекие зоны, что устанавливают гипнотический контакт, скажем, с опускающимся на землю снегом. Кстати, очень важен ритм, при котором возникает акт гипноза. Годится по-настоящему не любой снег, но только снег, опускающийся хлопьями в безветренную погоду. Удовольствие, которое мы испытываем, как все в этом мире, тоже имеет свою вершину и последнюю меру любого качества — смерть.

Гипноз в своем пределе может парализовать нашу волю и отдать нас в объятия смерти. Живая человеческая воля может не устоять перед слишком мощным энергетическим объектом и изменить разуму. В одном нашем театре так погиб человек, не сумев выйти из-под медленно опускающегося железного противопожарного занавеса. Он заметил его движение задолго до рокового мгновения и с точки зрения здравого смысла несколько раз мог спокойно отойти в сторону, но здравый смысл не сработал. Он вообще не всегда срабатывает. В этом тайна человеческого организма, в этом и его ограниченность и безмерное могущество.

Я думаю, что заразительность сценического акта возрастает по мере усиления гипнотического начала. Но возрастание это не должно быть тем не менее безмерным, безграничным — любое безмерное движение, любой неограниченный «благородной нормой» процесс приведет нас к смерти в той или иной степени, в том или ином смысле. Смерть, увы, располагается, как и в человеческой жизни, по обе стороны живого театра.

Очень часто наши сценические поползновения не выходят за нулевую отметку, несмотря на внешнюю динамику, темпераментные выкрики ведущих артистов и стремительные мизансценические перемещения неистово реагирующей массовки. Та энергия, тот энергетический мост, о котором я так настойчиво толкую, никак не связаны с динамикой самых искрометных, самых якобы неистовых мизансцен. Он, этот поток волшебной живительной энергии, может покинуть нас, когда мы привычно «разгоняем» спектакль до неистовых скоростей, и, напротив, посетить нас, когда на сцене все замирает и «народ безмолвствует».

Многое в нашей профессии вроде бы построено на обмане. Прибор, о котором я мечтаю, еще не изобретен. Нервную температуру зрительного зала никакими объективными способами познать не дано. Энергетический контакт с залом можно искусно смоделировать: притвориться, что я в контакте со зрителем, и все. Можно притвориться? Можно. Притворство в театре? Этим никого не удивишь. Притворяться можно сколько угодно... но обмануть зрителя тем не менее нельзя. Я думаю: невозможно.

Мне рассказали недавно о существовании в прошлом одной изощренной азиатской казни. Вокруг обреченного человека садились кружочком люди с сильной нервной системой, с очень развитой волей и... молча взирали на свою жертву. Через некоторое время жертва начинала испытывать беспокойство, тревогу, волнение, испуг, ужас и так далее... до самой смерти. Смерть наступала в полной тишине. Никто не совершал никаких резких движений, человек уничтожался с помощью мощного коллективного разрушительного потока биологической энергии.

Это фантастическое явление, по моему разумению, на выдумку непохоже. Думаю, что оно лишь одно из подтверждений того, что может при желании совершить «группа единомышленников». Механизм подобного акта, если исключить его разрушительную цель, имеет прямое отношение к современному театру. Познание этого механизма и составляет суть современного актерского, а стало быть, режиссерского поиска. Все мои нынешние театральные раздумья сосредоточены вокруг этой темы, вокруг безграничных возможностей человеческого организма, вокруг поисков устойчивой методологии — системы необходимых тренировочных упражнений и поиска закономерностей при установлении в зрительном зале плотного гипнотического контакта. Для меня это неоспоримая истина.

ИНФОРМАЦИОННЫЙ ВЗРЫВ

Театральная режиссура XX столетия, впрочем как и все остальные виды искусства, делится на режиссуру дотелевизионную и последующую, рожденную в период новой информационной цивилизации.

Характерная особенность эпохи информационного взрыва — необычайная сложность в удержании зрительского внимания. Мы оказались среди таких плотных информационных потоков, что многие из нас стали ощущать их материальную тяжесть, разрушительную атаку на человеческую психику и, вообще, экологическую небезопасность. Последнее обстоятельство зримо подтверждается не только детскими припадками эпилепсии, зафиксированными в Японии, но и резким ростом немотивированной преступности.

Всемирная телевизионная индустрия насытила нас таким количеством художественной и псевдохудожественной информации, что в сочетании с остальными СМИ мы превратились в людей, которых удивить чем-либо вообще крайне затруднительно.

Эти и некоторые другие особенности нового бытия сильно ударили по театру. В особенности когда он начинал подражать кинематографу. Изменилось отношение ко времени. Оно стало дороже. Мы перестали смеяться над формулой: «Время — деньги». Всерьез и надолго подключить зрительское внимание к происходящему на сцене, более того, добиться самого главного в театре, —

сопереживания, — оказалось теперь делом чрезвычайной сложности. Сегодняшний зритель, изнуренный неконтролируемой плотностью информационных потоков, зачастую просто не хочет подключаться к спектаклю — срабатывает элементарная биологическая защита. В лучшем случае зритель готов некоторое время вежливо созерцать театральное действо и горячо поаплодировать в финале, особенно если дорого заплатил за билеты. Кстати, зритель, оплативший дорогие билеты, подсознательно не хочет чувствовать себя одураченным и подчас упорно уходит от дискомфортного состояния в непроизвольную имитацию якобы полученного удовольствия. Вообще психология зрительского поведения — вещь увлекательная и малоизученная.

Американские исследования кинозрителя установили, например, критическую седьмую минуту. Как фильм ни монтируй, но в районе седьмой минуты наступает спад зрительского энтузиазма и наползают, сами собой, разного рода сомнения вплоть до «уж не зря ли теряю время?» После седьмой минуты обнаружены еще некоторые опасные зоны, о которых должен знать кинорежиссер.

В нашем театре никто подобных и других научных исследований, связанных с психикой зрителя, не проводил, но тем не менее серьезной режиссурой все-таки накоплены некоторые важные закономерности, которые преждевременно возводить в ранг законов, которых, кстати, в театре, в строгом смысле слова, вообще не существует. Однако есть полезные наблюдения, о которых стоит задуматься. Или сделать вид, что погрузился в пучину сложных полифонических раздумий. Это еще одна из необходимых черт режиссерской профессии: казаться чуть умнее и загадочнее, чем ты есть на самом деле. Может быть, это даже необходимо, потому что, как бы ни были хороши взаимоотношения с актерами, некоторый изначальный антагонизм существует. В глубине души и режиссер, и актерская труппа всегда мучаются некоторыми взаимными сомнениями. Демонстрация интеллектуального режиссерского превосходства, даже если оно отсутствует, — возможно, своеобразный катализатор репетиционного процесса.

Возвращаясь к современной информационной перенасыщенности окружающего нас пространства, хочу сказать, что не знаю, как точно определиться в отношении седьмой минуты, но такая первая опасная в зрительском внимании зона, несомненно, существует, и я ее, как правило, достаточно надежно определяю. Сначала — на первом репетиционном прогоне, а потом — при первом соприкосновении с живым зрительным залом. Ей предшествует обязательный «кредит доверия». Если уже зритель не пожалел времени и денег, уселся в зрительном зале, какое-то время он будет взирать на сцену с вниманием и уважением. Правда, не очень долго. Но у режиссера есть в запасе три-четыре минуты, чтобы, что называется, зацепить его любопытство и «привязать» зрительское внимание к происходящему на сцене. В зоне, определяемой мной как «кредит доверия», может происходить любая ерунда, не всегда внятная, понятная, но забрасывающая некоторые семена хотя бы обыкновенного любопытства. По окончании «кредита доверия» должна состояться важная режиссерская акция, призванная перевести психику зрителя из любопытства в интерес. Зритель должен заинтересоваться сценическим процессом, — с тем чтобы постепенно вступить в полосу сопереживания, за которой желательна зона любви к героям сценического действа. Любовь должна теоретически закончиться катарсисом — потрясением и очищением.

Рассуждать о катарсисе не возьмусь. Хочется выглядеть скромным, хотя были спектакли, где, мне кажется, витал его призрак. Но какая-то предфинальная режиссерская кульминация в хорошо поставленном спектакле должна быть обязательно. «Предфинальная» — потому что В.Э.Мейерхольд говорил, во-первых, что все аплодисменты надо сосредоточить к финалу, во-вторых, само окончание спектакля после заключительной режиссерской акции должно нести в себе мудрый покой и умиротворение. Законов, повторяю, в нашем деле нет, может быть бесконечное количество исключений — в том числе продиктованных жанровым многообразием, но в целом пожелание Мейерхольда кажется мне на девяносто процентов справедливым.

Замечательный японский режиссер Тадаси Судзуки, с которым я общался во время наших гастролей в Японии, поделился своим тревожным постулатом: нынешняя заполнившая мир виртуальная реальность, обилие и рост электронной информации оставляют возможность соприкосновения с живой, осязаемой энергией человека только в двух видах его деятельности — в спорте и театре.

Несмотря на то что, как и каждый уважающий себя режиссер, я рассуждаю достаточно безапелляционно, иногда даже с некоторой завуалированной наглостью, — все-таки в приступе «дурной правды» прошу читателей не считать, что обронзовел настолько, что рекомендую мною написанное воспринимать как учебник по режиссуре. Скорее, я импровизирую на темы того конкретного сценического опыта, который помог мне сделать московский Ленком на некоторое время заметным явлением в российской театральной жизни. Конечно, это не мой личный, но изощренный в своем многообразии коллективный труд. В нем участвовали и продолжают свое участие самостоятельные разработчики, талантливые созидатели, обретшие творческую самодостаточность. Лучше — самоценность.

Разумеется, некоторым актерам я помог — одним больше, другим меньше. На всех сил не хватило, но старался, по крайней мере, не мешать. Совсем недавно осознал истину, простую до неловкой банальности: не будет в моей жизни вторых Инны Чуриковой, Леонида Броневого, Олега Янковского, Александра Абдулова, Николая Караченцова, Александра Збруева, Армена Джигарханяна, Юрия Колычева и многих-многих других очень любимых мною артистов, уже зрелых мастеров, совсем молодых восходящих звезд, и тех, кто осознал и укрепился в своем статусе «не звезды», того актерского цементирующего фундамента, без которого немыслим русский репертуарный театр. Наконец, мне бы хотелось поблагодарить судьбу, что довелось заниматься совместным сценическим поиском с такими явлениями российского искусства, каковыми являлись Евгений Павлович Леонов, Татьяна Ивановна Пельтцер, Андрей Александрович Миронов.

Не будет в моей жизни и другого режиссера-сценографа, уникального художника Олега Шейнциса — человека высоких творческих озарений. (О нем я подробно написал в своей первой книге «Контакты на разных уровнях».)

Здесь, возможно, самое время вспомнить о директоре Ленкома Марке Борисовиче Варшавере, человеке, с которым мы побывали в бедах и радостях, съели не один пуд соли и в котором я ощущаю надежного друга, для которого главное в жизни Ленкома — здоровье коллектива, прочная эстетическая и экономическая основа нашего существования. Не последнюю роль, кстати, играет для него и мое творческое самочувствие, что я хорошо ощущаю и за что безмерно благодарен. Так уж подло устроен театр — от самочувствия одного единственного человека подчас зависит результативность работы огромного коллектива.

В последние годы я слышу в свой адрес (особенно с глазу на глаз) много явно завышенных восторгов. Пока у меня хватает ума реально их оценить, а также ощутить свои слабости, сомнительные режиссерские акции, кстати, и человеческие. Вместе с тем появилось и подобие объективной оценки того, что я умею. Начну с того общепланетарного открытия, которое сделано задолго до моих писаний: основная ценность театра — актерский организм, обладающий мощной энергетикой и гипнотической заразительностью, развивший свои нервные, психические ресурсы до высоких степеней, неподвластных строго научному измерению.

ЧТО ТАКОЕ ЛЕНКОМ

Это многострадальный московский театр, история которого тем не менее изобилует не только затяжными кризисами, но и яркими страницами, когда театр своими работами сосредоточивал вокруг себя многочисленные восторги, повышенный интерес зрителей и серьезное театроведческое внимание.

Его история началась в 1927 году. По инициативе московского комсомола некоторые разрозненные любительские кружки были объединены в новый профессиональный театр — «ТРАМ» (Театр рабочей молодежи).

На месте бывшего Купеческого клуба, построенного по проекту архитектора Иванова-Шица, долгое время формировался своеобразный очаг культуры. В Купеческом клубе регулярно игрались драматические и музыкальные спектакли, а также давались музыкально-вокальные дивертисменты. С 1917 года в здании обосновался политический клуб с элементами анархии, расхищения имущества и планомерного разрушения уникального дизайна, выполненного так же, как и архитектурное пространство дома, в стиле так называемого «модерна начала века». Потом на этом месте обосновался Коммунистический университет имени Я.М.Свердлова, где В.И.Ленин на знаменитом III съезде комсомола в 1920 году произнес знаменитую речь, в которой с обескураживающей простотой поведал миру об отсутствии морали как таковой: «Морально только то, что способствует победе пролетариата». Это, по-моему мнению, был один из поворотных моментов в истории XX столетия. Коммунистический вождь первым в истории освободил вооруженную партию нового типа от такого досадного понятия, как совесть. Позднее у него появились всемирно известные последователи, главным образом в германском Третьем рейхе, но и в Италии, Камбоджии и многих других странах. (Должен честно признаться, что подобным образом я смог характеризовать некоторые исторические мгновения, связанные с нашим домом, только в последние годы. До этих последних лет мне не хватало ни ума, ни исторических познаний.) После образования в 1923 году при Коммунистическом университете популярного московского кинотеатра «Кино Малая Дмитровка, 6» сюда были направлены серьезные мхатовские мастера Н.П.Баталов, Н.М.Горчаков, В.Я.Станицын, Н.П.Хмелев, И.Я.Судаков и даже М.А.Булгаков. Эта группа была призвана возглавить работу ТРАМа, который в своем первоначальном творчестве сосредоточивался на плакатно агитационных представлениях, которые не оставили серьезного следа в истории советского театра, разве что вырастили звезду советского кинематографа — Николая Афанасьевича Крючкова.

Однако появление на Малой Дмитровке Ивана Николаевича Берсенева с блестящей плеядой молодых мхатовских актеров — Софьей Гиацинтовой, Серафимой Бирман, Ростиславом Пляттом, Аркадием Вовси и другими — привело к созданию серьезного театра, который быстро завоевал любовь москвичей. В 1938 году искусный политик и признанный лидер театра Иван Николаевич Берсенев сумел добиться ликвидации малопрестижного названия «ТРАМ» и появления на фасаде театра нового наименования, которое способствовало официальному признанию его прежних и будущих заслуг — «Московский театр имени Ленинского комсомола». Здесь родились замечательные по тому времени спектакли драматурга Константина Симонова, им сопутствовала феерическая популярность Валентины Серовой, и многое другое, что породило заслуженную любовь зрителей.

Когда поколение Берсенева завершило свой творческий взлет, прошло естественную стадию спада, деградации и сценической смерти, в 1963 году здесь совсем ненадолго, но ослепительно засияла звезда новой российской режиссуры — Анатолий Васильевич Эфрос. Около трех лет этот выдающийся мастер буквально околдовывал театральную Москву своими незабываемыми по сию пору спектаклями: «В день свадьбы» В.Розова, «104 страницы про любовь» и «Снимается кино» Э.Радзинского, «Мой бедный Марат» А.Арбузова, «Мольер» М.Булгакова.

С Эфросом руководство столичной культуры и высшие партийные инстанции поступили традиционно жестоко. В виде огромного благодеяния его удалили из театра, разрешив перевести с собой в Театр на Малой Бронной нескольких близких ему актеров. Счастливая полоса в жизни театра обернулась коротким мгновением, на смену которого пришло достаточно печальное десятилетие. В театре постоянно и быстро менялись главные режиссеры, ставились спектакли-однодневки, и зритель постепенно терял интерес к Ленкому.

Название Ленком появилось не случайно. Это — продукт городского фольклора, которым воспользовалась позднее уже новая театральная генерация, пришедшая на смену всем предыдущим. Мы долго боролись за новое название театра, целиком не открещиваясь от истоков его прежней аббревиатуры, но наши усилия увенчались успехом уже в новое перестроечное время, когда рухнул прежний партийно-цензурный аппарат.

Мое появление в качестве театрального руководителя Ленкома связано с успехом ряда спектаклей, поставленных в других театрах, что имели порой судьбу трудную, далеко не однозначную, иногда трагически-анекдотическую.

Мой первый режиссерский успех на профессиональной сцене пришел в 1967 году в Московском театре сатиры после постановки достаточно сенсационного и памятного для многих театралов спектакля «Доходное место» А.Н.Островского. Это, пожалуй, одно из самых ярких воспоминаний моей режиссерской молодости.

Спектакль до своего громкого и скандального запрещения прошел около сорока раз, что, конечно, являлось государственным упущением. Интересно, что его запрещению предшествовала «подковерная борьба», развернувшаяся между двумя влиятельными властными дамами: секретарем МГК КПСС А.П.Шапошниковой и тогдашним министром культуры, бывшим членом Политбюро ЦК КПСС Е.А.Фурцевой. Из классической литературы, а также из повседневной жизни известно, что, если дамы, находясь в определенном (агрессивном) возрасте, занимаются примерно одним и тем же делом, их взаимная неприязнь может при определенных условиях перерасти в смертельную схватку.

Незадолго до появления «Доходного места» Фурцева, которую знавшие ее люди относили к личностям вполне нормальным, по-своему неглупым, нечуждым определенной смелости и широты, демонстративно и своевременно помогла театру «Современник» с его спектаклем «Большевики» М.Шатрова, который многим ее коллегам казался произведением исключительной вредности. Питая добрые и уважительные чувства к Олегу Ефремову, она, короче говоря, взяла на себя ответственность за выпуск спектакля. Естественно, Шапошникова не преминула воспользоваться этим обстоятельством и развернула наступление по всему идеологическому фронту, всячески подчеркивая глубокую порочность министерской позиции. В свою очередь Фурцева решила ответить ударом на удар и найти идеологические ошибки московского партийного секретаря. Оказывается, разрешение на «Доходное место» можно было при желании отнести к идейным просчетам МГК КПСС.

Разумеется, драматургию «подковерной борьбы» вокруг спектакля я узнал много лет спустя от лиц, прямо причастных к разыгравшемуся дамскому сражению. Фурцева неожиданным налетом посетила спектакль и уже к антракту засекла чудовищную идеологическую порочность произведения. В антракте она разговаривала с дирекцией на повышенных тонах, всячески демонстрируя свое глубокое партийное возмущение.

Помимо дамской подоплеки были, конечно, еще и аспекты общественного характера. «Хрущевская оттепель» дышала на ладан, друзей-поляков угораздило поставить у себя «Дзяды» Мицкевича, что расценивалось идеологами социалистического лагеря в целом как призыв к построению социализма с человеческим лицом, что считалось оскорбительным прежде всего для социализма, за которым такое никогда не водилось. Эфрос поставил в Театре на Малой Бронной «Три сестры», чем, по мнению сильно состарившихся, хотя и великих мхатовцев, нанес оскорбление не только лично Чехову, но бросил зловещую тень на всю отечественную литературу, — многочисленные психушки уже готовились к массовому приему диссидентов, — поэтому Фурцева была настроена крайне воинственно.

Помимо официального снятия «Доходного места» из текущего репертуара в отношении меня были даны соответствующие указания в СМИ и наложен категорический запрет на какие-либо контакты с зарубежной прессой.

После запрещенного «Доходного места» я поставил комедию А.Арканова и Гр.Горина «Банкет» в том же театре и примерно с тем же печальным финалом. Только на этот раз спектакль был запрещен по инициативе тогдашнего министра финансов, у которого возник стойкий эстетический и идейно-художественный протест против своеобразного и достаточно остроумного опыта современной абсурдистской комедии. Разумеется, расставаться с «Банкетом» было не так тягостно, потому что там не было замечательных актерских работ А.А.Миронова, А.Д.Папанова, Г.П.Менглета, Т.И.Пельтцер и других великолепных мастеров, составлявших гордость тогдашнего Театра сатиры, и, конечно, не было того уровня режиссерского вдохновения, что посетило меня в 1967 году.

Когда моя режиссерская профессия повисла на волоске, А.А.Гончаров пригласил меня в свой Академический театр имени Вл.Маяковского, где мне удалось поставить, и достаточно изобретательно, собственную сценическую версию фадеевского «Разгрома» (пьеса была написана совместно с И.Л.Прутом).

Самым счастливым моментом в этой работе была моя встреча с Арменом Джигарханяном, которого я отношу к людям уникальной актерской и человеческой одаренности. Я бесконечно благодарен судьбе за этот подарок — мое общение с ним оставило неизгладимый след в моих размышлениях над природой актерской одаренности, в тех высших ее проявлениях, когда исполнитель центральной роли становится фактически твоим сопостановщиком. Его усталый, с загадочными энергетическими ресурсами командир партизанского отряда Левинсон, по-моему, навсегда вписался в историю современного российского театра.

Вторым счастливым моментом в этой истории было то, что я уцелел физически, не был уничтожен, а остался режиссером. Судьба спектакля и моя собственная профессия, что называется, повисли на волоске. Причем я не сразу это понял, не сразу осознал и только по прошествии некоторого времени, когда узнал некоторые обстоятельства моего балансирования на краю пропасти, испытал неприятный холодок в позвоночнике.

Сразу после восторженно принятой премьеры в моей жизни снова появилась «добрая фея» — секретарь МГК КПСС Шапошникова. Ее партийно-идеологическая бдительность подсказала ей, что не случайно командиром отряда стал человек по фамилии Левинсон. И не случайно борцы за народное счастье подверглись ужасающему разгрому. При более тщательном изучении спектакля вместе с аппаратом Отдела культуры Шапошникова определила глубочайшую идейную и художественную порочность спектакля, поставленного вредоносным и диссиденствующим режиссером.

Не будучи штатным режиссером Театра имени Маяковского все драматургические перипетии вокруг спектакля и моего имени я узнал позднее от Экимяна, который в ту пору работал там директором. Оказывается, руководство МГК КПСС почти сразу же приняло решение запретить спектакль (третий по счету в моем режиссерском списке). Об этом решении узнала вдова Фадеева, известная актриса МХАТа Ангелина Осиповна Степанова, которая позвонила по «вертушке» главному идеологу КПСС М.А.Суслову, выразив ему свое беспокойство по поводу запрещения Фадеева. Обо мне, разумеется, речь не шла. Суслов обещал разобраться и явился на следующий спектакль. Не подозревая, что решается моя судьба, я был настроен весьма легкомысленно, потому что больше всего меня заинтересовало то обстоятельство, что Михаил Андреевич был в галошах.

Галоши в то время нормальные люди уже давно не носили, и на меня напал приступ несвоевременного веселья. Сейчас удивляюсь, как я, дурак, не понимал, что после запрещения третьего подряд спектакля моя режиссерская судьба пошла бы под откос. Почему я тогда не волновался, а начал ужасаться спустя несколько месяцев — ума не приложу.

По окончании спектакля Суслов поднялся в отведенной ему ложе и зааплодировал. На следующее утро в «Правде» появилась статья о большом идейно-политическом успехе театра и зрелой режиссуре М.Захарова. Далее спектакль игрался долгое время с большим успехом и до появления «Юноны и Авось» и особенно «Мистификации» собрал наибольшее количество положительных рецензий, связанных с моими режиссерскими сочинениями.

Спектакль с успехом выезжал за рубеж. В Румынии Н.Чаушеску, возложив руку на плечо Армену Джигарханяну, сказал с нескрываемым волнением: «Да. Тяжело нам, командирам».

Когда ставишь спектакль, который потом нравится одновременно Суслову и Чаушеску, испытываешь со временем сложные чувства. Но что делать? «Разгром» был действительно поставлен и сыгран добротно, эмоционально, изобретательно и шел на сцене Театра имени Маяковского с большим успехом.

Полагаю, однако, что в моем назначении главным режиссером Ленкома основную роль сыграли спектакли «Темп-1929» — вольная фантазия на темы пьес Н.Погодина с музыкой Г.Гладкова и комедия «Проснись и пой» венгерского драматурга М.Дьярфоша, которую мы переписали и поставили совместно с А.Ширвиндтом.

Однажды один рецензент обозвал Ленком «субкультурой». Мне это очень понравилось. Потом другой умный человек с хорошим образованием объяснил мне, что ничего радостного в этом слове нет. Но оно мне все равно продолжает нравиться. Так со мною случается. Теоретически и лексически я понимаю ущербность этого понятия, но затаенная радость при этом остается. Будем считать это не глупостью, а режиссерским своеобразием.

Свыше четверти века Ленком вызывает пристальный интерес как у любителей театрального искусства, так и у нормальных зрителей. Вероятно, это не временный и не случайный успех, в противном случае в театре не сформировалась бы такая разнообразная и любимая зрителями плеяда мастеров. Когда пишу эти строки, как раз подрастает еще одна генерация актеров уже не второго ленкомовского поколения и даже не третьего, — похоже, четвертого.

При всей пестроте и несхожести моих работ есть все же нечто общее, что их, по-моему, объединяет. Это «нечто» я обозначаю для себя как «поэтический допуск», как «игру воображения», фантасмагорию, как «театральную фантазию на тему».

Подозреваю, что Московский театр Ленком, который я возглавляю, есть театр фантасмагорического, отчасти поэтического мировосприятия. Для меня бесконечно близка и дорога формула Е.Б.Вахтангова — «фантастический реализм».

Когда человек произносит со сцены важную мысль, смысл фразы не зависит от звука. (Было бы слышно.) Можно подытожить идею пьесы высоким голосом, можно низким. Можно тенором, можно баритоном. Смысл остается прежним. Содержание не изменится. Говорю уверенно, но при этом сомневаюсь.

Маленькое отступление. Когда нежная мать писклявым голосом причитает над младенцем, специально коверкая и не выговаривая некоторые буквы, оказывается, она совершает прямо-таки определяющий акт для жизни подрастающего человека. Эти ее глупости жизненно необходимы ему для правильного пищеварения и полноценного духовного развития. Это установила наука, а не театроведение, и, стало быть, этому можно верить. Без материнских тембральных фантазий не срабатывают какие-то важнейшие для жизни человека биологические функции. Без материнских тембральных фантазий ребенок может вырасти неполноценным гражданином, даже негодяем или пассивным болезненным существом. Ребенок, который не получает в достаточной мере этих жизненно необходимых хихикающих материнских звуков, простужается от малейшего сквозняка. Это подмечено уже не только наукой, а материнской практикой. Вот какую действенную задачу (говоря нашим языком) осуществляет улыбчивое завывание матери. С виду смешное кривляние, а по существу — важнейший целебный удар по многим клеткам и органам.

Повышение или понижение звука на сцене есть действие, говоря режиссерским языком, и весьма активное, со своей сверхзадачей.

В последнее время я очень увлекаюсь просьбами к

артистам изменять тембр голосового посыла в сторону тонального повышения или понижения, разумеется, в пределах органики, то есть абсолютной правды своего человеческого существования. Оказывается, это мощный стимул для изменения многих механизмов во взаимодействии сценических героев. Подчас возникает новая и очень живая цепочка нюансов, влияющая на смысл и характер отдельной сцены или формирование нового режима в сценической жизни самого актера.

В организме человека слишком много известных и еще большее количество неизвестных внутренних взаимосвязей, и очень часто, казалось бы, чисто внешнее изменение в пластике или звуке приводит от чисто формального начала к очень искренним, неожиданным внутренним последствиям. Возникает принципиально иная заразительность актерской личности или даже целой сцены.

В бытность мою студентом ГИТИСа один мхатовский мастер учил своих учеников плакать на сцене, что само по себе интересно и необычно. Считалось хорошим тоном не заботиться о слезах, они, дескать, появятся сами, если твои внутренние процессы будут правильно выстроены, а сам ты талантлив, как Ермолова или Москвин. Такая, с моей точки зрения, разновидность режиссерского или педагогического ханжества.

Истинное актерское вдохновение, увы, подводит. (Впрочем, как и режиссерское.) Чуть-чуть забарахлила нервная система или какой-то ее узелок, вышел из-под контроля четко выстроенный психический настрой — и, пожалуйста: слез нет. А слезы, особенно для актрисы, часто, как крылья, несут тебя по сцене, придавая все новые силы и новую заразительность.

Так вот, Василий Александрович Орлов, мхатовский мастер выдающегося дарования, сажал в пятидесятые годы перед собой будущего актера или актрису и терпеливо учил их формальному упражнению — дрожанию подбородка. Почти всегда этот чисто внешний допинг порождал в конце концов реальный спазм в горле и настоящие слезы. А рождение настоящих слез приводило весь актерский организм к правдивому и искреннему самочувствию.

Йоги, по нашему европейскому размышлению, занимаются ерундой — принимают смешные, нечеловеческие позы и гоняют через нос воздух. Однако если эти упражнения выполняются правильно, целеустремленно и в соответствующей обстановке — конечный эффект воспринимается потом как чудо. Почему? Очень мало знаем о себе, своих ресурсах и работе собственного организма. Понять, каким образом многие тысячи человеческих клеток находятся в такой строгой связи и субординации, честно говоря, затруднительно. Несмотря на бурное развитие биологии, наши ученые пока не в состоянии объяснить очевидные вещи. Но то, что не могут зафиксировать и объяснить ученые, — подчас необъяснимым образом чувствуют актеры.

Я думаю, что подлинный театр — это всегда поэзия. Конечно, мир безграничен. Возможно, на сцене могут существовать и другие, абсолютно прозаические и приземленные построения, но для меня они всегда лишь блоки, составные элементы, которые могут превратиться в здание современного спектакля только в поэтическом монтажном слиянии, при непременном создании внутреннего ритмического каркаса.

Театр в моем представлении — всегда поэтическая фантазия при самых смелых прозаических допусках и скрупулезных бытовых деталях. Но эти детали в моих намерениях — всегда акции высокого поэтического тонуса. Это не означает обязательных романтических или пафосных интонаций, но вместе с тем спектакль для меня всегда сочинение. Я очень боюсь позиции, которую занимают наши средние (средние по качеству) кинематографисты. «Смотрите, — как бы говорят они, — вот оно, как в жизни!» А к жизни показанное не имеет никакого отношения. Такого рода режиссура предлагает нам чаще всего хорошо известный набор знаков, дежурных и прилизанных обозначений, не имеющих никакого отношения к реальным людям с их нынешними интонациями, лексическими оборотами, неповторимыми подробностями в поведении, с их бедами и радостями, что встречаются сплошь и рядом в нашей многотрудной жизни.

Особое, но хорошо скрываемое (по этическим соображениям) раздражение вызывают у меня некоторые кинематографические опусы, где долговременным образом имитируется какая-либо профессиональная среда — например, работа милиции или обстановка проведения следственных мероприятий. Чаще всего артисты, не имеющие в запасе никаких углубленных профессиональных наблюдений, и такой же среднестатистический режиссер разыгрывают как бы многозначительное и непременно крайне разнообразное по количеству актерских штампов псевдоинтеллектуальное действо, не имеющее ни малейшего звукового, пластического, лексического и вообще поведенческого сходства с реальным режимом многочасового существования в органах правопорядка или спецназа.

Так и хочется сказать коллегам: не уродуйте свою профессиональную оснащенность скольжением по разного рода «милоте», «задумчивости», «осмысленности» или якобы «напряженности». Ваши потуги — как сводные картинки рядом с живописными шедеврами. Посидите месяц-другой на Петровке, 38 (если, конечно, допустят, что вряд ли), но честно — от звонка до звонка. Почувствуйте разницу, как ведут себя профессионалы на пятом-шестом часе рабочего дня и что выкамариваете вы перед камерой, не в силах одолеть среднестатистического самолюбования.

Если мною написанное воспринимается как желчная ворчня — посмотрите хотя бы для частичного самообразования фрагменты зарубежного сериала «Скорая помощь» или (если дело касается других профессиональных сфер) почитайте финальные страницы стародавней детективной повести В.Богомолова «В августе сорок четвертого». Хорошо полистать, а лучше прочесть со вниманием «Три минуты молчания» Г.Владимова или «Смиренное кладбище» С.Каледина. В каждом из перечисленных сочинений авторы не просто ловко описали собственные наблюдения — они познали, извините, «на собственной шкуре» суть профессиональных взаимоотношений той среды, живописать которую взялись. Они погрузили собственные нервы и мозги в реальные катаклизмы будничного быта контрразведчиков, моряков или гробокопателей. И прежде чем спеть свою песню, воспарить в поэтическом одухотворении подобного калибра, сочинители не погнушались познать быт выбранной им среды обитания, закономерности, подчас скрупулезно натуралистического характера, что проявляются в людях, занимающихся реальным делом без «интересничанья», без позерства, без усредненного вымысла.

Это у меня пока самый злой поток сознания, чтобы читатели не подумали, что я во власти умиротворяюще благостных эмоций. Нет, от некоторых явлений искусства, в том числе массового, — у меня шерсть на загривке поднимается. Оказывается, тяжело переживаю массированные удары по нашему культурному достоянию и благородной норме. Хотя и одобряю частенько экзальтированную дурь. Без дерзания, в том числе идиотского, тоже скучно и даже вредно существовать. И все-таки очень раздражает поза солидного, добропорядочного, якобы культурного свершения при полупрофессиональности, полуусредненности и полуприблизительности.

Мои сегодняшние режиссерские поиски, а стало быть, поиски московского Ленкома, сосредоточены в нескольких направляемых, но одно из них, связанное с чудовищным переизбытком художественной (в том числе телевизионной) информации, я считаю доминирующим.

Возвращаясь к термину Эйзенштейна «монтаж аттракционов», хочу, во-первых, пояснить, что меня, как и будущего зрителя, интересует прежде всего монтаж *психологических* аттракционов, то есть самым интересным и важным в театре является сегодня зигзагообразный путь, который совершает актерский организм во взаимодействии с другими актерами и видоизменяющимся пространством.

В моих спектаклях, даже если действие происходит в едином декорационном объеме, все равно этот пространственный объем должен «дышать». Структура сценического пространства должна быть подвержена обязательным, иногда малозаметным, но изменениям. Мы живем в стремительно изменяющемся мире, особенно в последнее десятилетие, и, даже когда некий материальный объект кажется статичным, наше восприятие его претерпевает обязательные изменения субъективного характера, которые на сцене имеют право обретать объективную значимость.

Возвращаясь к зигзагообразному движению человеческого характера на сцене, настаиваю на непременном аритмичном его существовании, когда мы сознательно выбираем из драматургической ткани литературного первоисточника те поворотные моменты, те неожиданные преобразования в мыслях, поведенческих акциях, пластических сломах, которые и представляют сегодня главный и, пожалуй, единственный интерес для зрителя. Еще раз повторю: зритель сегодня хорошо знает, чего можно ждать от сценического персонажа в театре, в отличие от живого человека на улице, производстве, транспорте, в случайном или осмысленно подготовленном контакте со знакомым или полузнакомым человеком.

В последних своих режиссерских сочинениях я стремлюсь «спружинить», собрать в плотный клубок зигзагообразные, обязательно непредсказуемые зрителем сценические акции.

Очень важен вопрос мотивации так называемого *неожиданного удара*. Конечно, это не должен быть штукарский набор режиссерских или актерских экстравагантностей. За каждым материализующимся на наших глазах зигзагом в поведении актера должна прослеживаться логика. Важно не бояться, что понимание этой логики живого, а не выдуманного человека может, а иногда и обязано опережать зрительское понимание. То есть для зрителя каждый зигзаг, каждое изменение в линии поведения сценического персонажа должны в первые секунды быть предельно неожиданными, но по прошествии какого-то времени становиться естественными и закономерными.

Метод этот вовсе не так прост, как может показаться. Совершая зигзаг, неожиданный психологический поворот, резко меняя свое пластическое и настроенческое существование, актер Ленкома обязан быть предельно правдивым и искренним. Иногда, чтобы отбросить одну мысль и обрести новую, неожиданную для партнера, требуется некоторое время. Необходима зона, когда актерский организм формирует в себе эту новую энергию, не расставаясь с органикой, с той правдой актерского бытия, которому Станиславский посвятил всю свою жизнь. Очень часто в прежние годы в театре было очень интересно наблюдать, как одаренный актер, отбросив устоявшийся режим существования, входил в режим новых раздумий и намерений.

Теперь я категорически возражаю против этого органичного формирования драматургического зигзага, ни в коем случае не посягая на саму органику, правду жизни сценического героя. Я делаю все возможное, чтобы научить актера спрятать от зрителя эту «зону», эти секунды, когда в организме формируются предпосылки даже для мгновенного, спонтанного выброса новой мысли, поступка, мизансцены или, точнее, неожиданного удара по партнеру, а правильнее сказать — по психике зрителя. Чтобы не расставаться с учением великого Станиславского и остаться глубоко правдивым человеком, резко меняя свое поведение, актер, конечно же, должен «набрать» новую энергию, новое вдохновение, потребность в качественно новом деянии — так, чтобы в момент «набора» ни один человек в зрительном зале не догадался о назревающем изменении. Здесь нет четких рецептов. Иногда нужна одна единственная секунда, чтобы актерский организм выстрелил по-новому. Иногда требуется пять—десять секунд или того более, когда зритель в отношении сценического героя должен оставаться на «голодном информационном пайке».

Переизбыток телевизионной, театральной и другой «художественной» информации дает сегодняшнему зрителю возможность мгновенного (часто подсознательного) прогноза в отношении последующего шага сценического героя. Его необходимо во что бы то ни стало лишить этого просчета, этого вызывающего скуку познания грядущей сценической акции.

У многих актеров сформировался достаточно устойчивый рефлекс в имитации мозгового процесса. Здесь, дескать, я подумал-подумал и сказал что-то новое. А здесь я еще глубже задумался и красиво родил благую идею.

В театр уже давно ходят не за идеями и даже не за мыслями в прежнем понимании. Ходят удивляться новой, сиюминутной правде. Что такое правда на сцене, многие актеры, во всяком случае теоретически, понимают или близки к такому пониманию, но вот как *удивлять* правдой знают далеко не все.

Нормальный человек очень редко показывает свое раздумье, показывает, как и какая мысль его озарит в последующую секунду, — даже если мы ощущаем это раздумье, то все равно иначе, чем это принято в среднестатистическом культурном спектакле. Нормальный человек, неожиданно снятый в телерепортаже, замолчав, думает так, что очень затруднительно определить, что именно явится результатом его неожиданной паузы. Среднестатистический актер только и занимается тем, что якобы углубленно раздумывает, причем всегда понятно, в каком направлении. Иногда даже можно приблизительно определить фразу, которая прозвучит после якобы умственного якобы напряжения.

Ленком — это театр, отрицающий необходимость среднестатистического и даже очень «культурного» сценического процесса. Театр стремится следовать великим заветам мхатовских учителей, но больше всего боится скуки, когда все уже всё понимают, что происходит и, главное, что должно произойти.

Конечно, это — декларация о намерениях. В театральной репетиционной жизни и особенно потом, на сцене перед зрителем, многое из того, что я хочу, — не получается. Такая профессия.

Еще один немаловажный вопрос. Совсем не хочу, чтобы читатель подумал, что я рассуждаю о неизвестной зрителю драматургии. Ленком сегодня в основном ставит спектакли по пьесам, содержание которых известно зрителям. Во всяком случае, большинству. Во всяком случае, так мне хочется думать.

Хочу подчеркнуть, что предварительное знакомство с содержанием пьесы совершенно не отрицает ту часто эпатирующую неожиданность, которая возникает в сценических взаимоотношениях и возбуждает зрительское сопереживание. Современные актеры высокого класса всегда будут завораживать внимание зрителя, даже если зритель будет уверен, что Отелло задушит Дездемону. Все дело в тех неожиданных, непредсказуемых зигзагах при движении к печальному финалу.

Этот театральный эффект глубоко исследовал и доказал выдающийся немецкий драматург и режиссер Бертольд Брехт.

Во время милой беседы двух людей на сцене он мог сделать объявление: «Он убьет ее через пять минут». Потом мог объявить: «До преступления осталась минута». И эта информация при определенной высококлассной режиссуре и актерском существовании никак и никогда не снизит зрительского интереса. Может быть, наоборот, усилит интерес к происходящим незримым изменениям в сознании сценических героев и манере их поведения.

Футбольный матч и спектакль, замешанный на выс-

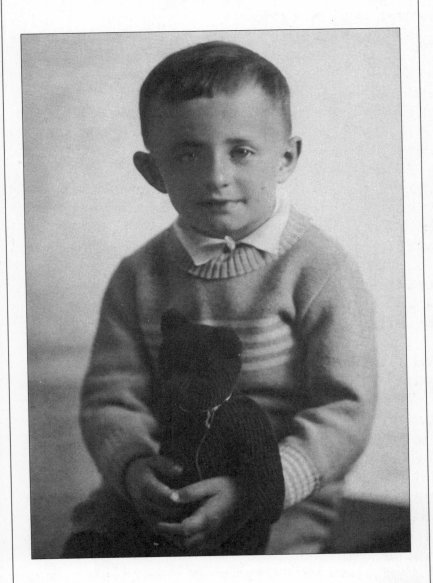

Мой 20 век

Любимые мною женщины: бабушка с материнской стороны —
Софья Бардина (слева); ее дочь, моя мать — Галина Бардина (справа)
и жена Нина Лапшинова (внизу)

Моя дочь Александра
любила и до сих пор любит издавать
пронзительные крики по любому поводу

В Пермском драмтеатре я играл роли идиотов,
в том числе Турио в «Двух веронцах»...

...и царя в «Коньке-Горбунке»

Памятная роль Остапа Бендера
в Театре миниатюр

Массовка на киностудии имени А.Довженко.
Мы с Андреем Мироновым изображаем в аэропорту
украинский народ, а Александр Ширвиндт —
мелкого негодяя

Исторические личности
Московского театра
имени Ленинского комсомола

Иван Николаевич Берсенев

Анатолий Васильевич Эфрос

Так выглядели
в 1973 году Ленком...

...и его новый
главный режиссер

Иногда мне удавалось
запечатлеться с людьми
известными и уважаемыми:
с Григорием Гориным
и Евгением Леоновым...

...Михаилом Шатровым
и Олегом Янковским...

...Юрием Визбором (поет)
и Геннадием Гладковым (за роялем)

Люди, причастные к созданию первой русской рок-оперы
«Юнона и Авось» — Алексей Рыбников, Марк Захаров,
Андрей Вознесенский и Николай Караченцов

Константин Симонов на премьере «Парня из нашего города»

Олег Табаков иногда делал вид,
что не он самый главный, и проявлял скромность

Зато Галина Волчек всегда была в центре внимания,
даже на кремлевских приемах

В день моего шестидесятилетия Юрий Любимов
наградил меня цепью из своего спектакля «Пугачев»

Здесь я задумался о достоинствах немецкого режиссера
Петера Штайна — он сидит неподалеку (в центре)

В приятной компании — с дочерью Александрой и четой Никулиных

С Иннокентием Смоктуновским

Артисты Ленкома, к которым
я откровенно неравнодушен — Армен Джигарханян...

...и Инна Чурикова

Иногда Б.Н.Ельцин как бы давал мне указания, а я как бы задумывался

Не скрою,
что запечатлеться
с Александром
Руцким
и Никитой
Михалковым
было приятно...

...так же как с Евгением Сидоровым
и Геннадием Бурбулисом

Случалось присутствовать в обществе
Зиновия Гердта, Михаила Жванецкого, Андрея Битова...

...и даже пить водку в нью-йоркской мастерской Эрнста Неизвестного

шем режиссерском пилотаже, — вещи все-таки разные при некоторой их схожести.

И еще одна характерная особенность Ленкома. Как режиссер, очень часто я предпочитаю не скрывать того, что показанное на сцене есть произвольно воссозданный поток воспоминаний или театральное исследование со значительными субъективными допусками. Субъективное на сцене неплохо, если не плох сам субъект.

Каждый человек, в том числе режиссер, имеет право спеть свою собственную песню о том, что он видел, и о том, чего не видел, но только предполагает. И даже не то, что предполагает, а то, что можно назвать материализацией его подсознательного влечения. Лицезреть и ощущать кожей такого рода песню, рожденную талантливым (лучше — суперталантливым) сочинителем, — редкое счастье. Потому что такой человек имеет право петь, иногда не слишком задумываясь, о чем его песня.

Московский театр Ленком отдал немало сил открытию и утверждению собственных поэтических фантазий. Огромную роль в этом деле сыграла для меня многолетняя работа над музыкальными сочинениями для драматического театра: «Разгром», «Тиль», «В списках не значился», «Звезда и смерть Хоакина Мурьеты», «Юнона и Авось», «Безумный день, или Женитьба Фигаро», «Поминальная молитва», «Королевские игры», «Мистификация». Сюда же следует, очевидно, отнести и мои работы в телевизионном кинематографе — «Обыкновенное чудо», «Тот самый Мюнхгаузен», «Формула любви», «Убить дракона» и др.

Разумеется, громкая современная музыка в театре — вещь удивительная, но еще более удивительна та музыка в театре, которую не слышно. Когда одна тишина сменяется другой, прямо противоположного свойства, когда ритм из простого сценического понятия вытягивается в загадочную химеру. Ритм на современной сцене есть нечто большее, чем чередование звуковых и пластических импульсов. Ритм — еще одна бездонная, безграничная система воздействия на поведение человека. Йоги говорят о ритме Вселенной. Мы их хотя и уважаем, но такого не говорим. Однако то, что каждая наша клетка находится в постоянной ритмической пульсации, теперь знаем точно. Стало быть, в наших руках мощнейшее оружие, не уступающее тем изобретениям человека, с которыми следует обращаться с величайшей осторожностью. В чередовании ритмических построений есть почти все необходимое, чтобы потребовать себе точку опоры и перевернуть мир.

Кроме этого намерения у меня есть и более скромное желание подвергнуть практическому анализу всевозможные и разные средства современной сценической выразительности, без которых немыслимы поиски нового поэтического пространства в театре.

Такая работа требует ювелирной точности, она требует терпения и хорошего здоровья, ибо часто мы создаем слишком хрупкие конструкции, их надо удерживать, укреплять и проверять в жестоком режиме сценической эксплуатации, но, поставив однажды тихий поэтический спектакль без всякого музыкального сопровождения («Вор» В.Мысливского), я с увлечением вел кропотливую работу над «тихими» сочинениями, где мы пытались освоить некоторые иные способы поэтического созидания. (Здесь самое время упомянуть о спектаклях, которые особенно любимы и дороги. «Три девушки в голубом» Людмилы Петрушевской и «Чайка» Чехова.)

Режиссерская методология должна постепенно (а иногда и резко) меняться, так же как и актерские навыки, сценографические идеи. Станиславский просил переучиваться каждые пять лет. Будем внимательны к его просьбам.

Сценический прием как выражение театральной идеи имеет свои градации. Сначала это всем понятное сооружение. (Понятно, как сколочено.) Потом, хотя и понятно, как это сделано, признаёшь, что сделано настолько ловко и добротно, что самому так уже не сделать. (У хорошего человека это вызывает «белую» зависть.) А дальше наступает такое состояние, очень редко, когда не понятно, как оно сделано. Тут только руками развести. Может быть, это и есть истинный критерий поэтической стихии?

Думаю, что все это относится не столько к технологии, сколько к идейно-смысловой стороне нашего дела. Идея большого спектакля не должна укладываться в простую формулу. Сокровенный смысл великого творения не должен сразу же даваться в руки. Пусть о нем пишут театроведы, пусть накапливают основательный научный материал.

Про что «Принцесса Турандот» Вахтангова?

А что хотел сказать Велимир Хлебников своим стихотворением «Кузнечик»?

Крылышкуя золотописьмом
Тончайших жил,
Кузнечик в кузов пуза уложил
Прибрежных много трав и зер.
Пинь, пинь, пинь! Тарарахнул зинзивер.
О лебедиво.
О, озари!

Лично я здесь вижу гениально размытую границу между смыслом и откровенно музыкальным вторжением в недра человеческого подсознания. Я не знаю, кто такой «зинзивер» и что такое «лебедиво», но самое прекрасное, что я этого и знать не хочу.

ПОТОК СОЗНАНИЯ
С ШАРЛЕМ ДЕ КОСТЕРОМ,
ГРИГОРИЕМ ГОРИНЫМ,
АЛЕКСАНДРОМ ШИРВИНДТОМ,
НИКОЛАЕМ КАРАЧЕНЦОВЫМ
И ДРУГИМИ ЛИЦАМИ

Я начал работу в Ленкоме еще до своего назначения. Вместе с журналистом и поэтом Юрием Визбором мы создали несколько странное, достаточно эклектичное, отчасти сумбурное, но азартное, с элементами неистовства и сценического буйства произведение под названием «Автоград-XXI». Театр после ухода Анатолия Эфроса находился в состоянии затяжного творческого кризиса, что в какой-то степени облегчило мою режиссерскую работу. Актерский коллектив был преисполнен безмерного желания добиться наконец успеха или чего-то похожего на успех. Это обстоятельство сближало людей, и «Автоград-XXI», может быть, не выполнив больших художественных целей, свою внутреннюю задачу полностью реализовал. В театре поднялся общий жизненный тонус, и в зрительном зале стали появляться молодые люди.

«Автоград-XXI», оглушая и веселясь, увлекал зрителя своей энергией, именно энергией. Все остальные его достоинства крайне проблематичны. Тем не менее образовался маленький плацдарм «на том берегу». Туда («на тот берег») надо было срочно вводить «стратегический резерв», которого у меня не было. Однако я четко представлял, каким он должен быть. Очень веселым, во-первых. Празднично-театральным, во-вторых. Мерещился какой-то карнавал с веселыми и умными проекциями в современные тревоги и надежды. (То, что, мне казалось, я умел организовывать на сцене еще в период поисков в Студенческом театре МГУ.) Оставалось только найти подходящий повод для желанного праздника, который уже стучался в двери. Вот его-то и не было. Повода. Хватался я в глубоком отчаянии за Лопе де Вега, судорожно листал почему-то Тирсо де Молина, потом по наущению нашего завлита и режиссера Юрия Аркадьевича Махаева стал ходить вместе с ним вокруг Шекспира, испрашивал советов у умных знакомых. Умные знакомые пытались помочь, но хороших идей не дарили. Идею подарил режиссер Анатолий Силин. В тот момент он, по моему разумению, оказался моим самым умным знакомым, потому что сказал: «Ставить надо "Тиля Уленшпигеля"». И я сразу понял, что это и есть та самая идея, которая дорого стоит.

Я слышал, что в зарубежном искусстве за счастливые идеи платят большие деньги. Я бы с удовольствием распространил это правило и на наше искусство, но денег в тот момент у меня не было, а бухгалтерия театра не располагала фондами на оплату счастливых мыслей. Анатолий Силин просто подарил нам свою идею.

Действительно, разработать и реализовать идею иногда много легче, чем придумать. Счастливая идея — это почти половина дела.

Что это такое?

Прежде всего это то название, которое необыкновенным образом соответствует постановочному мышлению театра в данный исторический момент. Но не только. Это то название, которое таит в себе возможность выхода за пределы прежних сценических достижений, овладения новыми рубежами в режиссуре, актерском искусстве, сценографии. Наконец, это то, что еще не знает зритель, но уже предчувствует. Я не хочу сказать, что спектакль «Тиль» в 1974 году был чем-то из ряда вон выходящим, вехой в мировой истории театра. Нет. Но, по-моему, получилось долгожданное, красочное и весьма заразительное музыкально-поэтическое зрелище. Комедийное представление с элементами подлинной драмы и подлинной сатиры.

В отношении других достоинств я, конечно, могу заблуждаться. В отношении подлинности сатирического начала я ошибиться не могу. Наличие сатиры проверить много легче, чем объективно зафиксировать другие достоинства. Если ты испытал до перестроечных времен серьезные затруднения со своим сценическим сочинением, на котором зритель много и охотно смеется, если на тебя всерьез обиделись и, более того, кто-то посчитал твое произведение вредоносным, — знай: у тебя пахло именно сатирой, а не ее имитацией.

Судьба «Тиля» в первые годы его жизни складывалась непросто. Однако со временем позиции противников спектакля подослабли, зрительский успех был настолько единодушным, что оппоненты из числа цензоров отступились, и Тиль весело зашагал не только по дорогам Фландрии, но и по бесчисленным дорогам нашей страны, Польши, Болгарии, Чехословакии.

Не всегда работа над последующими замыслами проходила у нас с Гориным столь же легко, вдохновенно, а главное, стремительно. Был элемент взаимного опьянения и некоторой удали. Едва добрались до конца первого действия, как мне показалось, что можно шить костюмы и строить декорации. И в театре действительно началось строительство простых, но весьма выразительных декорационных объектов под руководством художников Ольги Твардовской и Владимира Макушенко.

Декорации и костюмы стали сразу же получаться, приобретать веселый фламандский колорит, который окончательно окреп и по-хозяйски обосновался на нашей сцене после сочинения композитором Геннадием Гладковым и поэтом Юлием Кимом музыкальной основы шутовского представления и прекрасных песенных заставок.

До сих пор не очень понимаю, как директор театра Рафик Гарегинович Экимян пустился в столь опасное финансирование пьесы, которая оставалась, по существу, ненаписанной. Скорее всего, это случилось потому, что судьба распорядилась по отношению ко мне милостиво и послала мне такого театрального руководителя, который, будучи человеком сугубо творческим, умел и любил рисковать, однако всегда и очень вовремя очерчивая передо мной необходимую нам обоим красную линию, за которой риск становится и глупым и неоправданным. Но, повторяю, с Шарлем де Костером и Григорием Гориным риск казался нам вполне закономерным.

Весной 1974 года мы уехали на ленинградские гастроли, еще не имея продолжения пьесы, но зато имея своего «Антона Павловича» с пишущей машинкой под мышкой, который поселился рядом со мной в гостинице, всячески делая вид, что знает, о чем будет написан второй акт его пьесы и чем вообще кончится дело. Несмотря на то что иногда в глазах у драматурга мелькал испуг, в целом он работал азартно и весело. И второй акт его комедии, как и первый, стал обрастать вскоре изящно выстроенными диалогами, смешными фразами, неожиданными сюжетными поворотами и другими достоинствами, свойственными щедрому перу драматурга Горина.

Так началось наше длительное и серьезное сотрудничество. Со временем драматург остепенился и перестал бросаться очертя голову в любое подвернувшееся дело. Чтобы склонить драматурга к интенсивной работе, надо предоставить ему время для длительного и достаточно мучительного обдумывания всех составных величин будущего творения.

Григорий Горин начинал свои литературные игры, находясь в должности врача «Скорой помощи». Ничто не предвещало славы комедиографа, разве что ненавязчивые аналогии с уже известными до него врачами — Чеховым и Булгаковым.

В свободное от основной работы время молодой врач-шестидесятник остроумно играл идеями и словами, слагая из них забавные миниатюры, шутки, скетчи и репризы. Он делал вид, что его волнуют еще встречающиеся у нас порой отдельные недостатки. Сатирик-юморист тех лет имел право клеймить оружием смеха только нерадивых официантов, идиотов-закройщиков и обнаглевших дворников. Горин исправно клеймил, пока не сочинил рассказ «Остановите Потапова», который вывел его из юмористов в писатели.

После своей первой пьесы «Свадьба на всю Европу», написанной совместно с А.Аркановым, последовал «Банкет», принесший молодому драматургу большую удачу, — его спектакль в Московском театре сатиры был категорически запрещен партийной цензурой. Позднее Горин скажет устами Патрика из фильма «Дом, который построил Свифт»: «Поэтам бросают цветы, сатирикам — булыжники. Сатирик, который перестал раздражать, — кончился».

Но Горин только начинался. В 1970 году он сочинил комедию «Забыть Герострата», где мощно и зримо был заявлен его парадоксальный стиль со всем вытекающим из него горинским своеобразием.

Горин не просто автор остроумных пьес и сценариев — он понимает и знает театр изнутри. Как свидетель, могу констатировать: его замысел всегда формируется не печатными знаками, но общим режиссерским ощущением. Он замечательно предчувствует и угадывает жанровые и стилистические нюансы будущего спектакля; он не хочет, не умеет сочинять вне воображаемого будущего спектакля; он не хочет, не умеет сочинять вне воображаемого сценографического пространства. Потом его собственная режиссерская концепция может видоизменяться под воздействием подключившегося в работу режиссера-постановщика, но начинает он всегда сам, с изобретательного ряда, с эстетического запаха, формируя его на сверхчувственном уровне.

Чаще всего, следуя практике В.Шекспира, Жана Ануя или Евгения Шварца, Горин использовал уже известные людям сюжеты, полагая, что полезнее исследовать миф, уже существующий во Вселенной. В этом смысле он скорее философ, чем драматург. Шекспир без зазрения совести брал старинную британскую легенду о короле Лире и, учитывая многочисленные литературные разработки, сделанные до него примерно двенадцатью авторами, смело и вдохновенно писал свою собственную версию.

По смелости Горин не уступал Шекспиру, а по всем другим параметрам лично мне он ближе и дороже. Общение с ним научило меня иронизировать над завихрениями собственной фантазии, хотя после нескольких сумасбродных мгновений он всегда требовал серьезного разговора.

Серьезно. Горин создал собственный «королевский театр». Его игры, с будоражащими зрительское сознание идеями и образами, затрагивая самую сердцевину наших сегодняшних комплексов, тревог и надежд, остаются по-королевски щедрыми, величественными и дорогими. Это касается в том числе и постановочных расходов.

Лично мне он бесконечно дорог как писатель, сумевший остаться репертуарным драматургом в жестокий переходный период, когда многие его коллеги, талантливые сочинители, не смогли выдержать конкуренции с современной мировой драматургией. Горин смог.

И еще. Он зримо доказал, что можно сочинять суперсовременную пьесу, не помещая ее действующих лиц в интерьер хрущевской пятиэтажки. Зимой 1974 года он видоизменил историю Московского театра имени Ленинского комсомола, ныне Ленкома, отстучав на пишущей машинке первые диалоги своего искрометного «Тиля».

Обновленная и счастливая труппа Ленкома начала новую жизнь.

Комедийные ситуации, созданные Гориным, чаще всего умны и философичны, обладают своеобразной элегантностью, но это не исключает наличия в них веселого безрассудства. Персонажи Горина — живые, незапрограммированные люди, могущие сморозить гомерически смешную глупость. Умение сочинять смешные глупости — еще одна дорогая для меня черта в его творчестве. И самое важное: многие шутки драматурга и его комедийные диалоги имеют широкую амплитуду воздействия. Они одинаково смешны как для начинающего, так и для искушенного зрителя. Это не всеядность драматурга, это просто высокая степень его комедийной заразительности. Вероятно, поэтому наш «Тиль» упрямо увлекал за собой разнородную зрительскую аудиторию.

В первые годы своего существования спектакль

пользовался огромной популярностью, ему восторженно аплодировали на всех сценических площадках, но особый успех он имел во время зарубежных гастролей в Польше и Чехословакии в 1977 и 1978 годах, где изменчивой театральной судьбой нам был преподнесен редкий сюрприз — спектакль в Кракове.

Я запомнил этот спектакль на всю жизнь. Надо сказать, что ни до, ни после такого зрительского успеха своих спектаклей я не наблюдал, такого контакта по ходу спектакля, который возник в студенческом Кракове, больше никогда не было. За кулисами мы молча переглядывались друг с другом, помнится, ничего сказать не могли, из зала шел шквал энергии и восторга, и мы не находили слов, не умели прокомментировать случившееся. Например, после реплики типа: «Ну и жизнь у нас! Когда же это кончится?» в зале наступало братание, громоподобная овация и долго не смолкающие выкрики восторженно-радикального характера.

Особое время, особая студенческая атмосфера!

В «Тиле» после нескольких лет неуверенного актерского существования вновь почувствовал себя сильным актером Всеволод Ларионов, прекрасно сыграли Елена Фадеева, Юрий Колычев, Николай Скоробогатов, Маргарита Лифанова. Замечательно существовал в роли Ламме безвременно ушедший от нас Дмитрий Гошев. На следующий день после премьеры молодой артист Коля Караченцов проснулся знаменитым, а для Инны Чуриковой, по существу, состоялся театральный дебют, начало новой сценической биографии.

Три непохожих женских образа объединились в сознании Тиля и всего зрительного зала в один-единственный и прекрасный образ Любимой Женщины. С годами наш веселый спектакль несколько утратил свой лидирующий статус, в чем-то потускнел, слегка отяжелел, но существование Чуриковой осталось прежним, более того, все три ее героини обрели новые, неповторимые черты, совершили какие-то едва заметные движения во времени, воспротивились ему, остались живыми и трепетными существами.

Чтобы рассказать хотя бы фрагментарно, что такое Инна Михайловна Чурикова, надо собраться с силами, активизировать остатки интеллекта. Но поскольку спектакль назывался «Тиль» и поскольку, как я только что написал, один молодой артист наутро после спектакля проснулся знаменитым, логичнее сейчас сказать несколько слов в адрес этого своеобразного феномена и очень дорогого моего товарища.

Николай Петрович Караченцов стал именно тем самым тараном, что пробил брешь в стене, отделяющей старый Театр имени Ленинского комсомола от нового московского Ленкома. Успех «Тиля» во многом определялся новым молодым героем, актером синтетического свойства, прекрасно владеющим помимо прочего пластикой и вокалом. А остальное прочее заключалось в чрезвычайно насыщенной, агрессивной и артистической подвижности, то есть том бесценном даре, который прежде назывался на театре темпераментом.

Организм Караченцова поначалу, казалось, вот-вот сломается под нагрузками, выпавшими на его долю. Несколько раз срывался голос, но он его восстанавливал не столько специальными упражнениями, сколько своим неистовым волевым потенциалом. Допускаю, что в первые спектакли Николай Петрович был временами формален, в каких-то местах даже вроде бы выступал на первый план режиссерский каркас, но постепенно, очень мощно и целеустремленно (здесь мне могут не поверить), перестраивался весь организм, биология человека постепенно видоизменялась. Понижался тембр голоса, и на глазах формировалась та ощутимая сила, которая при восточных единоборствах резко возрастает с воплем «Кья!»

У меня для Николая Петровича сохранились письма некоторых зрителей с требованием не выпускать на сцену комсомольского театра такую страшную физиономию. Однако физиономия, судя по кино, тоже стала вскоре восприниматься как любимая. Он, конечно, не просто покорил, он еще и укротил зрителя. Сегодня, когда Караченцов является на сценические подмостки где-нибудь на концерте или творческой встрече, некоторые зрители впадают в небезопасное для психики ликование.

Я употребил слово «сегодня» и вспомнил, что, когда кто-нибудь спрашивает: «А где сегодня Караченцов?» — я всегда задумчиво смотрю на географическую карту. По-моему, мастер разбил ее на квадраты и, решив, что сделан из нержавеющей стали, постоянно где-то вращается — среди океанов, материков, съемочных площадок, дворцов спорта, концертных залов. Но иногда мы случайно видимся в театре.

Это у меня публицистически завуалированный укор замечательному артисту, с которым так плотно связана моя судьба, — не грех бы слегка притормозить, поостеречься. Может быть, не во всех «досье» надо сниматься?.. Такая у меня легкомысленная и самонадеянная позитура: дескать, прочтет, задумается. К сожалению, ни того, ни другого не сделает. Некогда.

Возраст свой иногда, действительно, заметить трудно. Вспомнив, каким я впервые увидел Николая Петровича в спектакле Театра имени Ленинского комсомола «Музыка на одиннадцатом этаже» — эдаким неприлично юным, тощим, почему-то длинноносым «гадким утенком», играющим хотя и старательно, но невнятно, — подумал: какой же я уже сам-то давнишний!

Это, будь оно неладно, трепетное чувство, что ты, мягко говоря, не юноша, окрепло у меня, когда в Ленком пришла молодая актриса, обаятельная и талантливая Мария Андреевна Миронова, дочь Андрея.

(Самое любопытное, что после шестидесяти пяти лет является еще и другое, глупое, наивное удивление: надо же, сколько лет по земле топаешь, иногда ползаешь по больничным койкам, сколько на твоих глазах происходит с другими людьми разительных изменений! А с тобой так... косметические мелочи.)

В период своего актерства в Московском театре имени Гоголя я обратил внимание на очень красивую актрису Р.Градову. Внимание обратил скромное, эстетическое. Клянусь. Тем более она была много старше меня, в возрасте эдак лет тридцати. Однажды на гастроли актриса Градова захватила с собой ангела во плоти — необычайно красивую дочку лет пяти-шести, Катю, которая постоянно бегала с сачком и ловила бабочек. Это я очень хорошо запомнил, потому что увидел потом эту самую Катю уже в должности актрисы Театра имени Маяковского, которая потом перешла на работу в Московский театр сатиры. Когда это случилось, почти сразу Миронов Андрей Александрович очень оживился, взволновался, похорошел. Глаза у Андрея Александровича стали поблескивать, и это поблескивание привело к тому, что я в компании близких друзей отправился, как свидетель бракосочетания, в один из отделов городского ЗАГСа. Катя Градова там тоже была. Ее все поздравляли, как девушку, решившуюся выйти замуж за Дрюсика, так иногда ласково мы называли Андрея Александровича. Дрюсика тоже поздравили заодно.

Непосредственно во младенчестве прекрасное последствие этого брака, Марию Андреевну Миронову-Градову, я как-то не очень запомнил. Обратил на нее внимание позже, когда она была уже очень худой, ничем не примечательной студенткой. Даже закралась мысль: «Уж не отдохнула ли природа на ребенке столь примечательных родителей?» И даже когда она впервые вышла на сцену Ленкома, я еще терзался некоторыми тайными сомнениями, и только после ее появления в роли Бланш в «Варваре и еретике», а чуть позже в спектакле «Две женщины» с терзаниями простился. Хотя сомнения остались. Они в нашей профессии всегда рядышком, далеко не отпускают. Впрочем, когда я говорю, что на нашей ленкомовской сцене замечательно работает продолжательница знаменитой актерской династии и я очень этим горжусь, — я не вру ни себе, ни людям. Хотя чего-чего, а врать-то режиссеры все умеют. Из того, что я написал, почти всё вранье.

У Марии Андреевны сильная, подвижная нервная система, выразительная внешность, волевая актерская хватка. Если поворачивается в профиль — похожа на Андрея. Теперь это уже не главное ее достоинство, осталось совсем немного людей, для кого это что-то значит. Я пока в их числе.

Сын Марии Андреевны Андрей в возрасте 4—5 лет фантастическим образом напоминал детские фотографии своего прославленного деда. Интересно, когда его внучка-актриса (будет внучка) засядет за книгу воспоминаний, станут ли ей интересны такие далекие от нее свершения и, глупости ее предков? И главное — друзей ее предков. Ибо они-то как раз и специализировались в основном на глупостях.

Уверен что ей, прапраправнучке Андрея Александровича, это будет любопытно. Для нее, для лапушки, сейчас и пишу, потому что современность я давно опередил. С большими художниками это случается. Ширвиндту с Гориным многого не понять уже с десятой страницы. (Шутка.)

После бракосочетания и торжественного обеда Катя с Андреем отправились в свадебное путешествие в Ленинград (бывший Санкт-Петербург). Нет, в бывший Ленинград, ныне Санкт-Петербург. (Это чтобы прапраправнучка не запуталась в нашем героическом времени.)

Во время привокзальной суеты с распитием шампанского мы с Ширвиндтом незаметно для молодоженов положили в их чемоданы несколько кирпичей и портрет Ленина. Нескрываемую радость нам доставило то, что молодожены с большим трудом втащили чемоданы в купе. Мы с Ширвиндтом не переставали искренне удивляться — зачем брать с собой так много тяжелых вещей?

Андрей потом нам рассказывал, что Кате при вскрытии чемодана уже в купе шутка понравилась не очень. Она даже в нас тогда слегка разочаровалась.

Вторая жена Андрея, Лариса Голубкина, однажды в нас тоже разочаровалась. Причем громко. Почему сейчас сразу пишу о второй жене? Потому что это — мемуарный поток сознания и явной логики здесь просматриваться не может. Скрытой — тоже.

Когда происходило бракосочетание Андрея с Ларисой Голубкиной, я как раз вычитал у одного классика, что американские ковбои всегда долго готовились к шуткам в брачную ночь любимого друга. Мы хотя специально не готовились, но довольно большой компанией отправились ночью на автомобиле в сторону дачи, где уединились Андрей с Ларисой.

Сначала мы осторожно изображали ночные привидения, ходящие с воем вокруг дома с погашенными окнами. Поскольку окна не зажглись, звуковую гамму решили разнообразить. «Привидения» стали не только выть, но противно пищать и ухать. Когда пришло физическое утомление без всяких видимых изменений на даче, Ширвиндт проявил огромную, незабываемую на всю оставшуюся мою жизнь изобретательность. Он неслышно влез через окно в спальню и укусил Ларису Ивановну за пятку. Ларисе Ивановне это почему-то страшно не понравилось. Почему — для меня загадка.

Отчасти подуставшие мы собрались у машины, когда уже начало светать.

— Ох, и намучаемся мы с ней! — сказал я искренне.

Все расценили эту фразу, не просто как на редкость остроумную. Ширвиндт вместе с Червинским восприняли ее прежде всего как мудрую и даже провидческую.

Раз из моего потока сознания материализовался Ширвиндт, я просто обязан обозначить его значение и роль в современности. Потому что у нас есть такой тост: «Дорогие друзья! Давайте поблагодарим друг друга за то, что мы друг дружке современники!»

Александр Анатольевич Ширвиндт, наверное, все-таки не артист, хотя умеет играть в спектаклях смешно и занятно. Тем более не режиссер. Хотя замечательно ставит в Вахтанговском училище остроумные спектакли со студентами. В театре он, скорее, генератор идей. Когда мы совместно ставили в Театре сатиры веселую комедию М.Дьярфоша «Проснись и пой!», он прежде всего убедил меня подальше отойти от автора и сделать собственную фантазию на тему этой среднестатистической венгерской пьесы. Название «Проснись и пой!» нам подарил Валентин Николаевич Плучек, единственный человек, с которым Шура на «вы». Александр Анатольевич угадал, а может быть, создал жанр нашего совместного творения, притащив в театр молодого композитора Геннадия Гладкова, из которого после «Бременских музыкантов» продолжали фонтанировать исключительно одни шлягеры. Для нашего спектакля он написал несколько бессмертных творений.

Если уж я поставил вопрос радикально: кто такой Ширвиндт? — отвечу, что профессия у него уникальная: он — Ширвиндт. Без всякой иронии скажу, что мне лично не попадалось в жизни, что-либо на него похожее.

В самые цензурно-беспросветные годы, он будучи молодым артистом Театра имени Ленинского комсомола, организовал в Доме актера на улице Горького (теперь Тверская) знаменитый актерский капустник, который существовал много лет с потрясающим успехом. Здесь, а не в театре, он, очевидно, сформировал свой актерский организм с редким комедийным обаянием и особой манерой поведения (точнее — общения). Думаю, что его удачи в театре Эфроса (например, Людовик в «Мольере» Булгакова) питались во многом именно его редкостным «шоуменским» талантом.

В определенных условиях он действует, как гипнотизер, и умеет делать то, чего не умеет делать никто. Недавно в Германии эмигрировавший туда когда-то племянник знаменитого комика Хенкина, выслушав мой монолог о Ширвиндте, сказал:

— Я с этим знаком. Это очень редкая разновидность актерского таланта. Мой дядька был примерно таким же.

— Но он же был знаменит именно как артист. Я помню в исполнении Хенкина рассказы Зощенко, так часто звучащие тогда по радио.

— Был, конечно, артистом. Неплохим, смешным. Но его уникальность заключалась в наиредчайшем импровизационном даре. Если было настроение, он доводил хохочущих людей до полуобморочного состояния. Особенно если собиралось знакомое или полузнакомое застолье.

Я был свидетелем нескольких, такого рода «сеансов» Ширвиндта и, честно говоря, не очень понимаю, как можно так долго импровизировать и с таким оглушительным эффектом.

Некоторые его случайно брошенные фразы, если запомнить, можно рассказывать потом как анекдоты. На его творческом вечере я имел большой успех, рассказывая, как моя жена у нас дома поставила перед ним банку с зернистой икрой, а он, подцепив вилкой одну икринку, поднес икринку к ее носу и сказал:

— Вот, Нинка, смотри, — твоя пенсия.

Наверное, он ей отомстил за ее идею, предложенную нам с Андреем в те годы, когда Александр Анатольевич постоянно снимался на студии Довженко в мелких эпизодических ролях, которые никто никогда не видел, в том числе он сам.

Мы почему-то очень торжественно провожали его на съемку в Харьков, развлекали известной мелодией Нино Рота, Шурик стоял в тамбуре, не опуская руку в невозмутимо молчаливом приветствии. Исчерпав всевозможные шутки по поводу его украинской кинематографической карьеры, Андрей сказал:

— Эту «Железную маску» ничем не проймешь!

Поскольку Шурик придумал слово «Дрюсик», Андрей всячески внедрял прозвище «Железная маска» в связи с хронической невозмутимостью Ширвиндта практически во всех ситуациях.

Когда поезд тронулся, моя мудрая жена сказала:

— Вот интересно, удивилась бы Железная маска, если бы приехала утром в Харьков, а вы уже там?..

Мы с Андреем сразу же бросились занимать деньги на авиабилеты.

Деньги на исторический перелет ссудил администратор Театра сатиры Громадский, открывший нам дверь, в связи с поздним временем, в трусах.

В диспетчерской аэропорта, несмотря на отсутствие билетов, к Андрею отнеслись с пониманием, его уже стали узнавать после «Бриллиантовой руки», но кто такой я и зачем это меня срочно несет в Харьков, поняли не сразу.

— Это мой пиротехник, — сказал Андрей. — Без него не снимаюсь. Просто боюсь, если его вдруг со мной не будет. Специалист.

— Да, уж, — сказал я фразу, которую мы потом в «Двенадцати стульях» отдали Кисе Воробьянинову.

Почувствовав на себе любопытные взгляды, я, помнится, тихими короткими посвистами изобразил полеты пуль, потом, вздрогнув, серию более громких взрывов. Чтобы не оставалось сомнений — закомплексованный профессионал.

На съемочной площадке мы оказались раньше Ширвиндта. Когда он появился вальяжной походкой, мы приблизились к нему со спины и тихо запели мелодию Нино Роты. «Железная маска» не удивилась, но, подумав, одобрила:

— Хорошо, — скромно сказала она.

Потом, через несколько лет призналась:

— Когда утром услышал ваши голоса, все-таки подумал про себя страшное: пить надо меньше.

Приятно, что студия Довженко оплатила Андрею Миронову и его пиротехнику участие в съемках массовки. Сохранилась фотография, где мы с Мироновым играем на равных: изображаем провожающий украинский народ в аэропорту.

ТЕАТР В ЛИФТЕ
И ПОТОК ПОДЦЕНЗУРНОГО СОЗНАНИЯ

Когда у нас возникла мода на постановку спектаклей в репетиционных залах, рабочих комнатах, просто комнатах и коридорах, количество зрителей такого рода экстравагантных зрелищ стало угрожающе уменьшаться — не потому, что не находилось охотников, а наоборот — сокращение пространства вызывало повышенное любопытство, непривычные зрительские ощущения, новую эстетическую заразительность и театроведческий восторг.

Несмотря на то что я уже касался проблемы малого театрального пространства и очень высоко оценил многие работы А.Васильева, — например, его замечательное вокально-пластическое действо «Плач Иеремии», меня по-прежнему тупо раздражало, что многие опытные театральные мыслители ставили знак равенства между спектаклями на большой сцене и в репетиционном зале. Конечно, здесь существует еще одна весьма сложная и деликатная проблема: какое пространство следует относить к нормальной сцене, а какую театральную кубатуру считать не большим, а малым залом.

Вообще проблема границ, как философское понятие, относится к числу самых непростых. Попробуйте точно определить, где именно кончается черный цвет и начинается темно-серый, где окончание одного атома и начало другого. Еще интереснее задуматься: много вам платят денег или опять мало. И где она, та условная черта, после которой можно сказать: денег так много, что зарабатывать их дальше нет смысла? Сколько это, по вашему?

Во всех такого рода загадочных обстоятельствах, вероятно, надо общими силами, коллективным разумом принимать пусть не простые, не бесспорные, но волевые решения. Например, кого считать боксером тяжелого веса, а кого — среднего.

Оценка в театральном искусстве — величина подвижная, вечно ускользающая, зависящая от несметного количества обстоятельств и тончайших нюансов, включая погоду, атмосферное давление, физиологические данные, гипноз того или иного актерского (режиссерского) имени и еще одну тысячу причин. И все-таки о грубо приближенном коллективном, общественном восприятии того или иного явления в искусстве говорить полезно — хотя бы во имя развития того самого искусства, которое так непросто оценить.

В прежние времена, по которым так тоскует большинство нашего народа, партийные органы власти, разного рода цензурно-редакционные комиссии обоих министерств культуры (союзного и эрэсэфесерного), Главного управления культуры и других руководящих органов только и делали, что собирались по поводу идейно-художественных оценок и, главным образом, по устранению досадных идеологических просчетов, так свойственных наиболее известным деятелям театра. Кого ни возьми — все ошибались, как идейно, так и художественно. И Георгий Товстоногов, и Анатолий Эфрос, и Олег Ефремов. А Юрий Любимов вообще только этим и занимался.

При Сталине за художественные ошибки расстреливали, в любимом же народом застойном периоде вместо выстрелов применяли изощренно-карательный, психо-демагогический набор всевозможных мер воздействия — от едва ощутимых укусов до зубодробительных акций. Некоторые «заплечных дел мастера» подвешивали «на дыбу» провинившихся режиссеров, словно бы стесняясь или тайно им сочувствуя. Однако находились мастера вроде Ю.С.Мелентьева (министр культуры РСФСР), которые получали от своего занятия нескрываемое удовольствие. Если говорить о моем режиссерском поколении, мне все-таки кости целиком переломать не успели, а вот по Леониду Хейфецу и Петру Фоменко прошлись основательно, с громким хрустом. В кинематографе жестоко покалечили Михаила Калика за его «Человека, идущего за солнцем» и Александра Аскольдова — постановщика фильма «Комиссар». Впрочем, список приблизительный и может быть продолжен.

Позвоночники обычно ломали без свидетелей, но иногда проводились и специальные «обсуждения» для заботливо-воспитательного воздействия на мастеров сцены. Помимо режиссеров на них приглашали директоров, парторгов, иногда профсоюзных вождей и ведущих актеров. Получался полный драматизма и непредсказуемого сюжетного развития увлекательный спектакль.

При коллективных «выволочках» у каждого уважающего себя художника была своя тактика и манера поведения. Меня в свое время очень вооружил разного рода демагогическими приемами Валентин Николаевич Плучек. При повторных сдачах готового спектакля я обычно ничего существенного не менял, почти все дорогие мне фразы всегда сохранял, и к моим спектаклям цензурный аппарат просто по-человечески привыкал. Даже иногда тайно начинал симпатизировать. (В Ленкоме редкий спектакль не принимался специальной комиссией по три-четыре раза.) Поэтому часто критика в мой адрес начиналась с фразы: «Ну вот, прошлые замечания, конечно, пошли на пользу». «Еще бы, — соглашался я, демонстрируя сыновние чувства, — как не пойти!» — «Многое уже сделано, — кивали мне, — но далеко не все». Я послушно доставал блокнотик, как бы обозначая свое намерение принять с радостью все замечания: все высказанное должно пойти «на пользу» без остатка. «Одному театру, без идеологического руководства, ведь пользу не принести, — как бы соглашался я всем своим видом. — Только вместе с партией, которая ничего не делает другого, как только заботится обо всем, чего ни увидит».

Когда меня укоряли в неумении правильно ставить спектакли, я сначала всегда огрызался, иногда неглупо, уходил из-под удара и стремился, между прочим, в разных инстанциях ссорить между собой цензоров. (Почему в Москве главным режиссерам работать всегда было легче? Начальства больше.)

Когда обрушивались все сразу с остервенением, я, помнится, всегда старался светлеть на глазах, какую бы чушь ни слышал. Скрыть отношение к перлам, которые иногда звучали, было трудно, требовалось волевое усилие.

Утверждая меня главным режиссером на бюро МГК КПСС, член Политбюро В.В.Гришин, например, сказал:

— Ошибок у вас было очень много. Но теперь уж работайте, как говорится, без экспериментов!

Я согласился, что весь вред в театре именно от экспериментов. И если уж работать — то без них.

Юрий Петрович Любимов, которого мне довелось видеть пару раз на такого рода экзекуциях, придерживался иной тактики. Когда только начинался разговор о его очередных идейно-художественных просчетах, он преображался, как-то внутренне воодушевлялся, можно сказать, расцветал на глазах от самого запаха предстоящей борьбы и сразу же наносил серию превентивных, утверждающих ударов по заботливым отцам-цензорам, заодно — и по матерям. Однажды после невинного замечания первого заместителя министра культуры СССР он, круто взметнувшись, как буревестник, радостно напомнил ему и всем присутствующим, как замминистра в бытность свою артистом одного из ведущих московских театров, приклеенный к бороде, дабы изобразить кучера, свалился с козел по причине чрезмерного употребления спиртных напитков. «Что же теперь может мне посоветовать этот бывший пьяный кучер?» — примерно так резюмировал Любимов.

Вообще, Ю.П.Любимов — пример особого мужества, таланта и, я бы сказал, стратегической интуиции. Идти откровенно в лобовую атаку — это, пожалуй, в определенные годы было под силу ему одному. Кроме общепризнанной одаренности за ним стояло особое человеческое, гражданское обаяние, мощная общественная поддержка. Это хорошо чувствовала власть и иногда просто опасалась с ним связываться. Хотя ничего не простила, не забыла и, в конце концов, свела с ним счеты.

Меня, например, размазать по стеклу было много легче. Один из бывших руководителей Главного управления культуры рассказал мне, какому сильнейшему телефонному воздействию подвергался он со стороны известного только номенклатурным деятелям культуры грозного генерала КГБ Абрамова. «Если мы лишили гражданства Любимова, что останавливает нас сделать то же самое по отношению к Захарову?» — примерно так ставил вопрос генерал, курировавший в КГБ искусство.

Думаю, что он неправильно выбрал момент для удара, слишком большая волна недовольства нашей полицейской политикой в отношении культуры уже поднялась на Западе и в США. Генерал припозднился. И потом, я предполагаю, всегда что-то от моей персоны в последний момент отвлекало, возникало что-то более важное, внимание переключалось, одним словом, везло. Первый раз повезло еще с Д.С.Полянским, известным членом Политбюро. У него очень большое раздражение вызвал мой спектакль в Театре сатиры «Темп-1929». Покидая театр, Полянский пообещал Плучеку разобраться с молодой идейно-порочной режиссурой. Но буквально через день-другой Полянский был переброшен на руководство сельским хозяйством, что всегда расценивалось в государстве как публичная казнь. После сельского хозяйства он очень скоро уехал послом в Японию, и, естественно, ему уже было не до спектакля с веселой музыкой Геннадия Гладкова.

Совершенно очевидно, что повезло мне и с «Тилем» Гр.Горина. После сенсационного успеха, сопровождающего этот спектакль, где-то через год, примерно в 1975 году, на «Тиля» занесло родственницу «портрета». («Портретами» Ю.П.Любимов называл членов и кандидатов в члены Политбюро ЦК КПСС). Дама почему-то решила, что спектакль детский, и привела с собой «портретова» внука. В спектакле присутствовала некоторая невинная по тем временам доля фламандского юмора, в одном зарифмованном месте хотя и не произносилось, но подразумевалось слово «жопа», что повергло воспитательницу не просто в ярость, но вызвало в ней желание действовать незамедлительно, на уровне высшего партийного руководства.

Примерно дня через два меня вызвал в Главное управление культуры М.С.Шкодин, руководивший в то время этим грозным учреждением. Шкодин был личностью одиозной, вписавшей свое имя навечно во всемирно-историческую акцию под названием «бульдозерная выставка», когда первые осмелевшие художники выставили свои полотна под открытым небом, как на Монмартре. Так вот, самóй организацией прибывших на место бульдозеров, как и вспашкой почвы на месте «бунта», руководил лично Шкодин. До этого он собственноручно сломал несколько декораций в Театре на Таганке, чтобы исправить режиссерские заблуждения Ю.П.Любимова.

Но сейчас я пишу об этом потому, что не устаю удивляться, как на бушевавшем в XX веке фронте идеологических сражений все запутывалось, перемешивалось в какой-то фантасмагорический калейдоскоп, где определить, при всем желании, причинно-следственные связи, не говоря уже об элементарной логике, часто не представлялось возможным. Так, своим назначением в главные режиссеры Театра имени Ленинского комсомола я обязан был прежде всего В.В.Гришину, члену Политбюро, Первому секретарю МГК КПСС, который, как мне потом подробно рассказывали, долго беседовал по вертушке с незабываемой мною Е.А.Фурцевой, тогдашним министром культуры СССР. Фурцева долго и обстоятельно объясняла Гришину, какую роковую ошибку может совершить московская партийная организация, настояв на столь необдуманном назначении, против которого она решительно возражает. Фурцева подробно описала Гришину мой идейно-порочный, отдающий антисоветчиной внутренний облик, так хорошо знакомый ей по засмотренному «Доходному месту». Но, на мое счастье, Гришин не внял добрым советам министерши и единолично назначил меня главным режиссером. Спрашивается: какие чувства я испытываю теперь к В.В.Гришину? Прямо и попросту ответить не могу, нужен психоаналитик. Аналогичная ситуация с М.С.Шкодиным.

Мы кончили театральные школы в один и тот же год, после чего три сезона проработали вместе в Пермском облдрамтеатре, некоторое время жили вместе в пермской гостинице, наши гримерные столики стояли рядом. Естественно, мы много общались и после выступления Хрущева на XX съезде повели даже по пермским масштабам вызывающе смелые разговоры. Практически антисоветские. Я, помнится, сказал, что небоскребы в Нью-Йорке мне нравятся, потому что их много и они все высокие. А Шкодин, помнится, согласился, но добавил при этом еще, что заграничные мужские носки с резиночкой лучше наших. «Кроме носков, говорят, есть еще товары, которые лучше», — это уже сказал я, завершая тревожную тему. После всего этого в 1958 году я уехал из Перми, оставшись при своем мнении, а Миша Шкодин был вскоре вызван в военкомат. Так он мне потом рассказывал в порыве редкой, но отчаянной откровенности. Хотя повестка и пришла как бы из военкомата, на самом деле Мишу сразу же препроводили в районное отделение КГБ, где сказали строго, что нам, дескать, хорошо известны ваши подлые беседы с уехавшим Захаровым, хорошо бы для вашего же счастья их прекратить с кем бы то ни было. Что было дальше, Миша рассказывать не стал, но я постепенно догадался, что вызвавшая его организация помогла ему перебраться сначала в режиссеры, а потом в Москву на руководящую работу.

Вызвавши меня в главк после «Тиля», засмотренного семьей «портрета», Миша по-дружески, но кисло улыбнулся. Сказал прямо:

— Решение о твоем увольнении принято на самом верху. К нам бумага придет дня через два-три. Знаешь,

124

как мы к тебе относимся, поэтому решили так: тихо, без шума, незаметно переводим тебя режиссером в Театр оперетты. Придет распоряжение — а ты уже на другом месте.

Несмотря на известное огорчение при мысли о «Сильве», я все-таки ответил разумно. Примерно так:

— Спасибо, Миша. Слишком много артистов пришло в театр ради меня, и я не имею права их предавать. Буду ждать официального увольнения.

Спрашивается: почему не пришел приказ об увольнении? Наверное, это наша великая государственная тайна. Что-то кого-то опять куда-то отвлекло. Может быть, кто-то вдруг почему-то раздумал или где-то под ковром на Старой площади случилось такое, какое никому, кроме бывших там, под ковром, не известно. Но ответ может быть и проще: порядка как не было, так и нет.

Мой Миша умел очень сильно хамить как своим непосредственным подчиненным, так и руководителям московских театров. Делал он это с удовольствием и подолгу. Но со мной его связывали пермские товарищеские отношения, и он им остался верен. Не только вяло укорял за идейные ошибки, но однажды совершил важный для моей последующей режиссерской судьбы поступок. Вызвал как-то в главк и спросил:

— Ты хочешь всю жизнь работать под Плучеком? Или хотел бы сам руководить каким-нибудь театром?

Конечно я ответил, что «хотел бы сам и каким-нибудь театром».

— Мы тут поговорили о тебе, подумали, — сообщил Миша многозначительно. — Возьми лист бумаги и пиши заявление в партию.

Совсем неглупое предложение для 1972 года, хотя в партию меня никогда не тянуло. Не было такого, чтобы проснуться ночью и подумать: «Вот бы в партию!» Но порядок вещей был таков, он всегда казался незыблемым, несмотря на оставленный процент для беспартийных, — получить самостоятельную, интересную, перспективную работу, уклоняясь от марксизма-ленинизма, было почти невозможно. И потом, если честно, никакой персональной ненависти к кому-либо только за то, что он член КПСС, да и к самому марксизму-ленинизму я тогда не испытывал. Мне казалось вполне нормальным, что такие люди, как Юрий Любимов или Булат Окуджава, состояли в партии. Короче, в 1973 году, когда кончился мой кандидатский стаж, я вступил, по рекомендации трех уважаемых людей, в числе которых была Татьяна Ивановна Пельтцер, в ряды КПСС. После вступления я неприлично быстро был вызван в Отдел культуры МГК, где мне было велено прийти в следующий раз в скромном галстуке на заседание бюро, потому что там меня будут утверждать главным режиссером Московского ордена Красного Знамени театра имени Ленинского комсомола.

Вспоминая замечательные по своей конечной непредсказуемости общения с цензурным прессом, хотел бы заметить, что набор средств воздействия на сомнительных художников был много разнообразнее, чем может теперь показаться. Во-первых, не всегда давили прямо, ломая кости, — иногда только надламывали. Кроме кнута широко применялись пряники. Во-вторых, разговор с главным цензором (это было чаще в кино) мог начинаться сперва по-дружески, с глазу на глаз. И вопрос мог стоять не только о здоровье мятежного художника, но даже о его бытовых проблемах, иногда даже как бы сообща обдумывался жилищный вопрос. Были в запасе у опытных идеологических надзирателей и такие меры воздействия, против которых устоять простому человеку было не просто трудно — практически невозможно.

После окончательного приема на «Мосфильме» моего фильма «Обыкновенное чудо», где я уже был вынужден сделать досадные заплатки, меня искренне поздравили со сделанными заплатками и уже пожимали руки, когда один из тогдашних телевизионных руководителей, взяв меня под локоток, вывел из просмотрового зала в коридор для окончательного прощания. Там он сказал:

— Как же я все-таки рад за ваше творчество! Причем — искренне.

Я, было, нацелился на общеловывание, но поклонник моего таланта добавил:

— Вот только фразочку у Андрея Миронова «Стареет наш королек» давайте уберем. Лично для меня, по-дружески.

— Но ведь ее придумал не я, а сам Шварц! — подавил я спазм в горле.

— По дружески, — улыбнулся ласковый друг. — Просьба сугубо личная.

Ну, в общем-то, и не совсем личная. За время съемок, как назло, Брежнев как раз постарел.

С «корольком», плача и стеная, я расстался и потом даже смирился. Во-первых, потому, что вскоре собирался снимать «Того самого Мюнхгаузена» по пьесе Гр.Горина, а во-вторых, потому, что мой телевизионный друг, обладая известным обаянием и сочувствием, после долгих дискуссий, раздумий и мучительных сомнений все-таки оставил столь смущавшую всю редактуру «Мосфильма» песенку Миронова о бабочке, которая крылышками бяк-бяк-бяк-бяк и за которой рванул воробушек.

— Чего это воробушек с ней сделал? — спрашивали меня редакторы «Мосфильма», сощурясь.

— Воробушек возжелал дуру-бабочку как бы скушать, — отвечал я со всей доступной мне искренностью.

— Нет, — говорили мне наиболее умные редакторы. — Он от нее другого захотел, поэтому и погнался.

— Что вы! — махал я рукой на редактуру. — Тема чисто гастрономическая.

— Сексуальная.

— Гастрономическая.

Конечно, я лукавил, изворачивался, двурушничал, позорно лгал. Песня Андрея Миронова про воробушка была не просто песней — то занималась заря грядущей в России сексуальной революции.

Здесь самое время углубиться в сексуальную революцию на конкретных примерах. А я знаю такие примеры, от которых тираж этой книги резко возрастет. Но, поскольку это поток сознания, а оно, сознание, еще полностью не потеряно, хочу вернуться к тому, с чего начал. К театру в лифте.

Теперь, когда начался то ли беспредел, то ли вольница, то ли демократия, коллективные оценки содеянного в театре стали происходить реже, чем в вышеописанное время. Вопрос о непосредственном устройстве театра в лифте у меня возник как-то на заседании секретариата СТД, когда речь зашла о наиболее интересных спектаклях прошедшего сезона. Все театральные достижения, по мнению многих экспертов, возникали, как правило, только при стечении двадцати или тридцати зрителей. (Немного преувеличиваю — но не слишком.) Подобные раздумья о так называемых малых сценах (чаще комнатах) случались и на разного рода заседаниях жюри, в которых я иногда участвовал излишне часто, как Городулин у А.Н.Островского.

Пишу об этом потому, что убежден: в репетиционном зале осуществляется режиссура иной «весовой категории». Спектакль, разыгранный для пятидесяти пяти зрителей, есть театр иной постановочной ориентации. И судить о нем, оценивать или как-то на него реагировать стоило бы иначе, не так, как оцениваются и воспринимаются спектакли в традиционном театральном пространстве. Пространство само по себе, его объем, конфигурация, эстетическое своеобразие и прочие психологические аспекты, как и конечная сумма энергетического зрительского потенциала, складывающаяся при особых специфических условиях из индивидуальных (зрительских) эмоциональных величин, — все это слишком серьезные категории в нашем деле, требующие длительного и углубленного изучения.

На разного рода заседаниях и в работе всевозможных жюри я честно старался, но мне было очень трудно согласиться, что спектакль, вызывающий радость у нескольких сотен зрителей, может быть приравнен к успеху у тридцати или пятидесяти людей, где действие, естественно, разворачивается у них «на носу» и актеры думают, как им не отдавить ноги.

Согласен, что есть много соблазнительных аспектов в режиссерских сочинениях, заключенных в непривычную кубатуру, где по-другому, в ином нервном режиме возникает контакт актера со зрителем (если, конечно, возникает).

Я однажды не поленился и воспользовался приглашением в домашний театр. (Есть и такие театры!) В московской квартире, расположенной в районе Тверского бульвара, для меня и, по-моему, еще одного гостя была специально разыграна какая-то западная пьеса среди небольшого жилого пространства, натуральной, много лет существующей мебели, занавесок, домашней утвари. Здесь собралось трое или четверо актеров, включая, по-моему, и хозяйку дома. Я не сумел запомнить ни сюжета, ни актеров, но запомнил чувство непривычной зрительской благодарности, что вот так, ради нас двоих, взрослые, серьезные, не слишком молодые люди жертвуют своим временем и с нескрываемым удовольствием творят искусство прямо перед моим носом. Я проникся и благодарностью, и редким уважением.

Я не хочу сравнить это доведенное до абсурда театральное действо со спектаклями на малых сценах, среди которых, как известно, существуют весьма достойные, а иногда очень интересные и талантливые. Но все равно актерское существование в комнатном театре при малом количестве зрителей носит целый ряд принципиальных отличий от большой сцены.

Играть там (в специально ограниченном объеме) надо, конечно, по-другому, с целым рядом «поправок», коррекций, как перед кинокамерой. Не хочу сказать, что это легче, хотя такая мысль иногда витает. В кино я могу поручить выразительный эпизод дилетанту, не имеющему к искусству никакого отношения, в театре — никогда. Ничего большего я сказать не хочу. Добиться настоящего серьезного успеха одинаково трудно и в кино, и в театре. Но действуя в двух метрах от камеры, нервная система и психика актера не обязательно должны соответствовать той мощности, что необходима на сцене. Многим очень приличным киноартистам в театре очень часто не хватает того внутреннего энергетического стержня, который необходим для «заполнения» всей кубатуры зрительного зала. Качество их актерского обаяния на сцене часто меняет свои параметры. Известный (точнее — популярный) актер, конечно, остается предметом зрительского любопытства довольно долгое время, но... боюсь углубляться в эту весьма деликатную тему, боюсь обидеть коллег, — но актер, получивший хорошее театральное образование (не во ВГИКе), воспитанный репертуарным театром, обладающий талантом и заслуженным успехом по целому ряду чисто нервных, физических, психических, гипнотических и пластических данных, превосходит своего кинематографического собрата. Превосходит, разумеется, на сцене, а не перед камерой на съемочной площадке. Театральный артист может хорошо сыграть центральную роль в кино, для киноартиста большая роль на сцене — серьезная проблема.

Те, кто захочет полемизировать по этому поводу, скажут, что театральный актер играет грубее, примитивнее. Плохой артист — он и в театре примитивен, а у хорошего на съемочной площадке, как правило, происходит необходимая внутренняя перестройка, нервная переориентация, его хорошо разработанная психотехника целенаправленно переводит организм в иной способ существования. Вообще, предмета для спора здесь нет. Кино и театральная практика давно решили этот вопрос.

Разумеется, у театрального актера тоже есть свой потолок. Это зал примерно на 1500 зрителей. При углубленном, упорном, долгом освоении большего театрального объема можно сохранить, с некоторыми коррективами, очень ценные и тонкие нюансы спектакля (с умелым подключением радиоусиления) и в зале на 2000 и даже 2500 мест. Но это, пожалуй, предел. Дальше — другие законы, связанные, скорее, с шоу-бизнесом, чем с серьезным театром.

Вернемся, однако, к театру в лифте.

Конечно, я в свое время распространил слух о такого рода спектакле, готовящемся в Ленкоме, ввиду своего плохого характера и желания постоянно вступать в бесполезные дискуссии. Но представьте на минуту, как среди нескольких зрителей, в их плотном физическом окружении, очень хороший актер начинает демонстрировать признаки нездоровья и всевозрастающего волнения. Он, допустим, говорит сбивчивый монолог о преследующих его психологических срывах.

Вне плотного физического контакта, в театральном зале на 1000 мест мы, конечно, тоже, вполне возможно, эмоционально подключаемся к этому актеру, если он большой мастер и если до его «сбивчивого монолога» мы, как зрители, успели им заинтересоваться и полюбить. Его монолог тоже может взволновать нас, но при этом мы, конечно, не съежимся в кресле, не задергаемся, не убежим из зала и, вообще, сохраним свою психику в относительном порядке.

В плотном же физическом контакте, где даже экранируют стены, большой мастер с тренированной психикой и гипнотическим даром, медленно срываясь на наших глазах, скажем, в эпилептический припадок, обрушит на нас такую мощную энергетику, что мы сможем испытать нечто, никогда не испытанное в нормальном театре. Это может быть очень сильным психическим и эстетическим комплексом ощущений, который вряд ли посетит нас в нормальном зрительном зале.

Поскольку в нашей профессии, как и во Вселенной, происходит постоянное расширение, а также разбегание, размежевание, расслоение, — есть смысл разделить режиссуру драматического театра на две, скажем так, номинации. Это потребность времени, и, по-моему, она уже начинает отчасти реализовываться.

АКТЕРСКОЕ РАЗДВОЕНИЕ С ИННОЙ ЧУРИКОВОЙ И ОЛЕГОМ ЯНКОВСКИМ

«Раздвоение» — говорю исключительно для того, чтобы не сказать «шизофрения». Чтобы не было обидно. Чтобы ни с кем не ссориться. Потому что театр очень подходящее для этого место.

На каждом собрании коллектива я говорю об объективных законах театральной этики и — с совершенно искренней убежденностью — об актерском братстве, понимая, что и то, и другое — субстанции зыбкие. С 1974 года нам, действительно, удалось многое сделать (опять-таки на данный, сегодняшний момент, что будет завтра — предугадать невозможно). Нам, вероятно, удалось многое сделать по формированию относительно прочных этических норм, производственной прочности и созданию некоторой видимости надежно работающей структурной системы. (Иногда надо формулировать как-то эдак так, чтобы уважали. У Ю.М.Лужкова я еще научился говорить «системное мышление», которое и вставляю щедрым образом где ни попадя.)

В первые годы (особенно в первые месяцы) в моем системном мышлении многое висело на волоске. Музыканты могли спокойно не явиться на спектакль, кто-то демонстрировал себя зрителям в нетрезвом виде или, как мы уклончиво теперь формулируем, «был не в форме». У меня во всех этих и других малоприятных случаях сначала возникала короткая паника, потом — неимоверная злость. При всем моем, как мне представляется, внешнем миролюбии и даже задумчивой мягкости, у меня присутствует стойкий и агрессивно функционирующий в экстремальных ситуациях элемент подавления деградирующих звеньев. Если надо, я могу затаиться, как Сталин, и провести хорошо подготовленный персональный удар с последующим жестоким завершением начатого дела.

После таких жестоких акций ко мне часто приходили «ходоки», дружно ходатайствуя о реабилитации случайно оступившегося или негодящегося к работе товарища. Иногда сперва подсылали после долгого инструктирования Инну Михайловну Чурикову для предварительного смягчения ситуации, долго растолковывая ей, о ком идет речь. За четверть века в двух случаях я соглашался с ходоками, но, как правило, решений своих не менял и старался избавляться от человека мгновенно. Иногда мгновенного увольнения не получалось, тогда я упрямо дожимал свое намерение и старался правильно обосновать для коллектива свою жестокую акцию. Мы расстались с рядом очень способных людей. Лично против них я не чинил никаких злонамеренных козней, но хорошо знал, как в театрах наступает гибельная «цепная реакция» после безвольного и чисто административного отступления.

Театр — в значительной степени замкнутое пространство, как корабль. Из истории известно — бунт на корабле возникает, когда его не подавляют в самом зародыше. К таким «подавлениям» я иногда специально готовился и даже принимал предварительно валидол, потому что — не зверь, хотя старался в отдельных случаях на него походить, чтобы хоть пахло зверем. У тех, кто работает в театре, обоняние всегда острое.

Во время репетиций «Гамлета» Глеб Анатольевич Панфилов сообщил мне, что не может и не будет работать с артистом Сократом Абдукадыровым, который ведет себя нагло, публично демонстрируя свое нежелание участвовать в массовых сценах. Я собрал коллектив исполнителей в зрительном зале, сделал нейтрально-миролюбивое лицо и очень тихим голосом сказал, что иногда в театре даже хорошим артистам приходится играть вспомогательные роли — так устроен репертуарный театр, не мы его придумали. «Но, — еще миролюбивее произнес я для контраста с запланированной жестокой экзекуцией, — у нас есть люди, которые свои личные настроения ставят выше общих творческих интересов. Вероятно, таким людям не надо участвовать в работе нашего театра, им лучше уйти, причем, чем скорее они это сделают, тем лучше». Далее я погрузился даже в своеобразную меланхолию, чтобы никто не подумал, что могу действовать агрессивно. «Сократ Абдукадыров, к вам у нас есть серьезные претензии, — печально вздохнул я, соображая, какая дверь будет выглядеть эффектнее, — встаньте, пожалуйста, если вам не трудно». Когда Абдукадыров встал, я резким движением вскинул руку: «Вон дверь. Через нее вам надо уйти и прямо сейчас». Артист был растерян, как-то неуверенно вышел в проход партера, и я ему помог, рявкнув: «Вон!!!»

Я почувствовал, что эта акция произвела весьма полезное, я бы сказал, даже целебное воздействие на рабочее настроение коллектива. Удачно она прошла еще и потому, что делал я ее не в первый раз. За год до этого я пригласил в свой кабинет директора театра Р.Г.Экимяна, после чего вызвал главного администратора А.А.Кислицкого.

Кислицкий, будучи человеком, умеющим работать хорошо, иногда блистательно, правда, спонтанно от случая к случаю, — в момент моего прихода в театр поразил меня своей некоторой интеллектуальной дремучестью. Потом я заметил скрытое пренебрежение к моим просьбам, потом — даже хамоватый тон в разговоре. Потом в театр пришел Виктор Сергеевич Розов и, наклонившись к окошечку администратора, попросился в театр.

— А кто вы такой? — спросил Кислицкий, ковыряя в зубах.

— Розов.

— Кто-кто?

— Драматург Розов Виктор Сергеевич.

— Не знаю такого! Все билеты проданы.

Пришлось с Кислицким проводить урок жестокой дрессуры. Правда, производился он в основном для Экимяна, на какие-либо глубинные изменения в самом Кислицком я не очень рассчитывал. Да и, в отличие от Абдукадырова, с Кислицким расставаться сразу не решился. Однако мизансцена с дверью из кабинета была такой же. Кислицкий, обескураженный, поплелся из кабинета, не скрывая растерянности. Экимян молча думал. Потом, через три дня, похвалил.

Теперь мне уже не надо, по-моему, прибегать к столь театрально-демонстративным методам. Я расстаюсь с людьми спокойно, без экзальтации. Но расстаюсь. В театре надо точно для себя решить, кого и когда можно прощать, а с кем никаких воспитательных игр вести не надо. Вредно для остальных.

Театр, как я уже не раз повторял, изначально соткан из противоречий (я имею в виду традиционный русский репертуарный театр). Главенствовать у нас должны театральное братство, обязательная коллегиальность (соборность) и одновременно единоличное художественное лидерство (диктатура).

Художественным лидером может быть не обязательно режиссер. На Западе это сплошь и рядом. У нас — редко. Успешно руководит театром О.П.Табаков, не претендуя на режиссерские лавры; надежно и умело возглавляет «Сатирикон» К.А.Райкин, будучи очень интересным актером и не балуясь режиссурой.

Полагаю, что этот абзац получился у меня и доказательным, и разумным. Хотя начал я с шизофрении. С раздвоения. Что это такое в моем театральном представлении? Очень распространенное в жизни явление, когда сознание работает в одном режиме, подсознание — в другом. То есть ты понимаешь и хочешь одного, а делаешь почему-то другое. Не можешь противиться желанию, которое сам же мысленно не считаешь правильным. Думаю, половина преступлений на свете совершается именно благодаря этому несовпадению интересов интеллекта и чувства. Можно ли этот механизм смоделировать на сцене? Можно, если артист обладает особой одаренностью и еще — особым умением полагаться на сценическую интуицию, может быть, точнее, как Михаил Чехов, — на свое загадочное и мощное подсознание. Ведь Чехов умел с точки зрения человеческой психики делать вещи, недоступные большинству актеров — отдавать подсознанию доминирующую роль в мотивации своего поведения. В драматургии такое явление впервые подметил А.П.Чехов. В «Трех сестрах» Маша произносит слова, которые никак не соответствуют ее мыслям: «У лукоморья дуб зеленый, златая цепь на дубе том...» Еще раньше, в «Иванове», тот же драматург заставил Сару цитировать стихи, которые логически никак не вытекали из ее трагического самоощущения. Полагаю, что виртуозная актерская игра с собственным сознанием и подсознанием — есть высший пилотаж в современном психологическом театре.

Кто в нашем театре это умеет делать лучше других? Наверное, Инна Михайловна Чурикова. Хотя сразу же подумал и об Олеге Ивановиче Янковском.

Примерно года через два ленкомовский спектакль «Чайка» вдруг приобрел новое качество и заразительность. Формально этому способствовали санкт-петербургские гастроли, где пришлось играть на неудобной для этого спектакля большой сцене. Мы не просто освоили тогда новое, непривычное пространство, мы, очевидно, что-то домыслили в самом действенном построении некоторых фрагментов. Так, сцена Тригорина и Нины Заречной, особенно по возвращении в Москву, вдруг приобрела как будто бы новое режиссерское построение. Но на самом деле просто то, что было сперва робко мною намечено, вдруг как-то преобразилось, заиграло, заискрилось психологическими, нервными токами у Олега Янковского и Александры Захаровой.

Про дочь, что бы ни написал, будет отдавать субъективизмом, а вот Олег Иванович вдруг заиграл спектакли имени Михаила Чехова. И достоверно, и парадоксально, и смешно. Глаз от него теперь оторвать нельзя, потому что не понимаешь, а только догадываешься, в какой круговерти пребывает его подсознание, у которого, как под ногами, постоянно путается сознание.

Вообще об Олеге Ивановиче Янковском я много рассуждал еще в своей первой книге «Контакты на разных уровнях». Он прошел очень сложный зигзагообразный путь в своем актерском становлении. И даже начинал в Саратове, как я, опираясь вначале на авторитет жены, ее волю и талант. Однако вскоре лабиринт личного движения в актерской жизни вывел его в целебные и питательные зоны. Сначала он до некоторой степени случайно встретился с Е.П.Леоновым на съемках фильма «Гонщики», и Леонов настоятельно посоветовал мне посмотреть на этого артиста в саратовском театре. Так Янковский перебрался в Москву, где вскоре, по-моему, прошел свои университеты под руководством Роллана Быкова в фильме «Служили два товарища». Быков, как личность сверходаренная и волевая, изначально оказывающая на любого своего партнера мощное воздействие, многому научил Янковского. Может быть, и не занимаясь какими-то осмысленными уроками актерского мастерства, Р.Быков все равно косвенным, подсознательным образом всегда осязаемо влиял на тех, кто работал рядом с ним. Это ощутил даже я, когда он снимался у меня в небольшой роли отца Федора в «Двенадцати стульях».

Олегу Ивановичу Янковскому везло на людей, хотя само слово «везение» у меня всегда под вопросом. Когда это самое «везение» не укладывается в одну единственную встречу — возможно, речь должна идти об особой природной интуиции, которая приводит такого человека к необходимым для него людям. У Янковского набралась целая галерея подобных творческих деятелей, включая автора этих строк. «Тот самый Мюнхгаузен», «Полеты во сне и наяву» Р.Балаяна, «Мы, нижеподписавшиеся» Т.Лиозновой, например, ощутимо расширили актерский диапазон О.Янковского, на этих и некоторых других киноработах он вывел свой актерский организм на качественно иной уровень. Думаю, что в значительной степени его внутренняя актерская техника зримо обогатилась во многих театральных работах, особенно таких, как «Ясновидящий» по Л.Фейхтвангеру, капитан Беринг в «Оптимистической трагедии», Учитель физкультуры в «Школе для эмигрантов» Д.Липскерова, Генерал в «Варваре и еретике». Вершиной его сценических свершений я считаю на сегодняшний день роль Тригорина в чеховской «Чайке».

Я очень благодарен Олегу Ивановичу за его вклад в строительство Ленкома, он сделал многое для преодоления свойственных театру профессиональных заболеваний, привнес в поставленные мною спектакли много собственных неожиданных идей. Необычайно продуктивную творческую помощь и товарищескую поддержку Олег Иванович оказал мне на съемочных площадках в фильмах «Обыкновенное чудо», «Тот самый Мюнхгаузен», «Убить дракона». Посвятил в некоторые технологические тайны и закономерности кинематографа, научил распределять силы и резким образом стимулировать фантазию именно тогда, когда необходимо неожиданно новое режиссерское решение.

Но все равно не он главный! (Пример того, как режиссер быстро меняет свои привязанности.) Главное для театра — большая драматическая актриса. Так говорил Несчастливцев в «Лесе» А.Н.Островского, и спорить с ним глупо.

Инна Михайловна Чурикова стала знаменитой, сыграв центральную женскую роль в фильме Глеба Панфилова «Начало». Она сразу явилась как большая актриса, потому что ее героиня представляла собой уникальный и вместе с тем хорошо узнаваемый, очень распространенный тип некрасивой девчонки. Героине ее повезло за счет внутренней незаурядности, а никак не из-за схожести с топ-моделью. Временами она была вызывающе некрасива, и в этом заключалось ее особое, новое для кинематографа тех лет обаяние. Интересно, что после этого фильма она попала в тайный список Госкино. Это был замечательный документ, куда были занесены фамилии артистов, которых не под каким видом нельзя снимать в главных ролях, чтобы своим видом они не клеветали на государство, партию и красоту советского человека. Возглавлял список незабвенный Роллан Быков.

Когда Инна Михайловна начала в 1974 году репетировать в «Тиле», я помню, как с удивлением заметил, что она вдруг может становиться очень красивой женщиной. Играла Инна Михайловна в спектакле блистательно, и мы с Экимяном иногда специально приходили смотреть ее сцены. Глазищи у нее иногда становились огромными, искрящимися, походка и все остальное, что было при ней, обретало особую женственность и притягательность. Понятно было, чего так Караченцов-Тиль безумствует. Собачница, которая в то время приходила ощипывать нашего фокстерьера, постоянно вздыхала:

— Как они все-таки экстерьерно подходят друг другу!

Теперь, пожалуй, наиболее интересующая меня тема. Чурикова, как никто другой, обладает способностью к погружению в тайные, возможно, не осязаемые ею до конца, глубины подсознания. То есть умеет в какой-то степени делать то, что совершают люди со сверхчувственным восприятием, действительно надежно работающие экстрасенсы. В грубом виде механизм их аномального творчества состоит из волевого задания, которое они мысленно посылают своему «я», и получаемого сразу или через некоторое время ответа.

По моим наблюдениям, Чурикова обладает некоторыми аномальными качествами. Она любит очень подробно оговорить свое сценическое действие, весь комплекс проблем, называемый у нас «предлагаемыми обстоятельствами», и в эти минуты делает произвольно или непроизвольно (этого я не могу точно знать) волевую встряску всему организму, «разогревает» и одновременно раскрепощает психику. И в это время иногда вдруг ее организм, как бы помимо прагматической цели (логи-

141

ки), может выдать, подарить такое деяние, жест, междометие, поступок, мысль, мизансцену, которых режиссеру невозможно придумать дома перед репетицией, да и на самой репетиции тоже.

На занятиях своей режиссерской мастерской я это называю «подарками организма». Не хочу сказать, что никто, кроме Чуриковой, не умеет и не может получать таких «подарков». Но она делает это чаще других артистов, и ее, продиктованное подсознанием поведение на сцене является иногда ошеломляющим по своей неожиданной правде. Оно вроде бы непредсказуемо экстравагантно и одновременно предельно искренне.

Инна Михайловна, конечно, умеет иногда забираться в какие-то глубины своего психического естества. Я наблюдал такие мгновения, которые очень далеко уходили от того, к чему привыкаешь в театре. В спектакле «Три девушки в голубом» Л.Петрушевской в начале первого акта ее героиня готовила яблочное пюре для больного ребенка и временами неожиданно, в том числе для себя самой, металась между обеденным столом и кухонной плитой. Нормальная, культурная актриса, как бы точно и выразительно не пребывала в данных предлагаемых обстоятельствах, не могла бы так себя вести на сцене, как Чурикова. У Инны Михайловны был при этом какой-то текст, она что-то говорила Татьяне Ивановне Пельтцер, говорила с обычной актерской точки зрения даже как-то невыразительно, потому что от нее шли животные искры страха. Это был глубоко запрятанный страх самки за своего детеныша и еще какая-то неизвестная мне плотная, бьющая по нервам энергия. Она так сосредоточивалась на приготовлении пюре, как нормальные актеры чаще всего делать не умеют. Какие-то едва ощутимые изменения в пластике. Какая-то скрытая от посторонних глаз нервная вибрация. Я уже об этом думал и писал. Актер, часто помимо своей воли, старается почти каждую мизансцену выполнить если и не красиво, то уж всегда выразительно. Чуриковой было наплевать на выразительность — больной ребенок был важнее. Мы наблюдали акцию своеобразной антитеатральности, доведенной до неправдоподобно высокой театральной выразительности.

Чурикова поразила меня и в роли бабушки Антониды Васильевны в «Варваре и еретике». Особенно на первых спектаклях. Пишу в приступе дурной правды. У Шукшина есть очень полюбившаяся мне фраза: «И в приступе дурной правды он сказал ему, что его жена живет с агрономом».

Так вот, на репетициях мы добились в первой ее сцене особого принципа общения с генералом и всей его компанией. У Инны Михайловны нет непосредственно личного опыта общения с людьми, я бы сказал, в старомодно-номенклатурной манере. А я на эту манеру насмотрелся, вкусил в разных модификациях. Поэтому здесь были определенные трудности.

Сценический процесс, если чуть огрубить проблему, состоит всегда из серии разнообразных ударов по партнерам. Действенность (сила) этих ударов вовсе не зависит, например, от громкости или какой-то зримой активизации. Ужесточение в желании перевести партнера в ничтожную степень человеческой значимости — хорошая задача. Конечно, моя терминология страдает отсутствием внешней гуманности. Я считаю очень важным научиться «обижать партнера». Я так и формулирую это важнейшее актерское умение. Начиная со взгляда. Кстати, это в моей методологии очень важно: взгляд есть действие. В строгом соответствии с системой Станиславского. Можно так посмотреть — и получить пощечину или довести человека до слез.

Попробуйте назвать фамилию человека, к которому вы обращаетесь нормальным нейтральным тоном. Это будет один вариант сценического действия. А потом попробуйте произнести ту же самую фамилию излишне громко, нарочито деформировав свою дикцию. Это уже будет совсем другой вариант. Громкий, нарочито противный голос будет воспринят партнером, а стало быть, и зрителями как грубое разрушение человеческих отношений. В XIX веке это был повод для дуэли.

Повышение или понижение тембра — тоже мой режиссерский пунктик. Я считаю, что хрестоматийно воспринятая система Станиславского этот вопрос не разработала.

Вернемся к умению обижать партнера. Дело, скажу сразу, непростое, если не скатиться на примитивную, чисто театральную грубость, поскольку в настоящей жизни только и происходит, что «борьба за лидерство». Причем борьба постоянная, тотальная. Ее можно, при желании, разглядеть даже в любовных отношениях. Конечно, этические нормы, выработанные цивилизацией, сделали эту «борьбу за лидерство» не похожей на то, что происходит в львином прайде или волчьей стае, но, кстати... Кое-что в любом человеческом коллективе напоминает наше животное происхождение. Стоит признать, что при сотворении человека многие поведенческие нормы были опробованы и усовершенствованы на наших меньших братьях.

Кто в коллективе неформальный лидер, кто занимает в иерархии сообщества второе место (официально или неформально — неважно) — очень интересная театральная и социологическая проблема. А какая интересная драматургия чаще всего скрытой борьбы разворачивается повсеместно за место рядом с вожаком, вождем, директором! Борьба за второе место — всегда борьба очень сложная и ожесточенная. Однако внешне ее можно и не заметить. Распознать иерархию в коллективе совсем непросто, тем более что это величина подвижная. Например, появилась на молодой женщине дорогая шуба — едва-едва, незаметно меняется походка и манера разговора, потому что владелица дорогой шубы перемещается на ступенечку выше. Это как случайный пример. Одежда играет роль, но весьма незначительную и не определяющую. Интереснее сама система общения со всеми ее нюансами.

Итак, в «борьбе за лидерство» важно понизить статус партнера. Разумеется, я не хочу представить нашу жизнь как сплошную драку, но жизнь сценическая (монтаж экстремальных ситуаций, пусть очень тихих и внешне мирных) может быть только борьбой. И в этой борьбе, как у борцов, весовые категории оказываются разными. Один владеет тремя-четырьмя приемами, другой (как правило, актер высокой квалификации) владеет тридцатью восемью, а может быть, ста двадцатью четырьмя способами понижения партнерского статуса. Иногда сценическому персонажу требуется едва заметное мини-понижение, а иногда хорошо (необходимо) применить смертельное.

В качестве смертельного удара крик, как правило, не годится, даже яростный. Если кричишь, значит, можешь простить. Ссора на сцене (в отличие от кинематографа) — вещь не слишком опасная. Ссоришься — значит, признаешь партнера за равного. Если я стал кричать на человека, значит, скорее всего, расставаться или «ликвидировать» его как личность не буду. Потом помирюсь.

Когда надо мной нависала смертельная опасность для моей дальнейшей режиссерской деятельности, никто на меня не кричал. Когда однажды вызвал министр культуры П.Н.Демичев для последнего предупреждения, он, помнится, голоса своего не повысил. Наоборот, говорил подчеркнуто тихо и вяло, как бы давая понять, что тратить на меня силы ему совсем неинтересно.

Между прочим, разговор (система общения) был, действительно, очень выразительным. Сесть он не предложил, я стоял у двери кабинета, а он, метрах в пятнадцати сидя за столом, начал после долгой паузы говорить бесстрастно и так тихо, что я только догадывался, что говорить-то он говорит, но что?

С Инной Михайловной Чуриковой в жизни никто так не разговаривал, а мне очень хотелось, чтобы ее Антонида Васильевна общалась с генералом, демонстративно не общаясь. Тихие, невнятные звуки Демичева тут не годились, говорить, с моей точки зрения, стоило внятно, но с оскорбительной бесстрастностью. Это как раз и стало сначала получаться, потом чуть-чуть позиция актрисы видоизменилась. Она стала тщательнее и подробнее взаимодействовать с партнерами.

Теоретически мы тут были единомышленниками (после некоторых дискуссий), но вот как практически скорректировать малозаметные отклонения — об этом можно рассуждать часами, но можно это сделать легко, за одну секунду.

В крохотном финальном эпизоде фильма «Тот самый Мюнхгаузен» Инна Михайловна в роли баронессы вдруг впала на моих глазах в своеобразный транс, ее мышление затормозилось, она стала чем-то напоминать великую Ф.Г.Раневскую, и я уже тогда понял, сколь многими, еще нереализованными ресурсами располагает ее уникальный «актерский организм».

В КИНЕМАТОГРАФИЧЕСКИХ ДЕБРЯХ

Кинематограф разрушил на театре многие святые условности и изобрел условности новые, не столь явные, но утонченные, склонные к изыску. Он подарил нам ошарашивающий поток правды, бьющий по глазам и по сердцу. Актеры перестали красить губы и лепить носы: грим если и применяется, то как самостоятельное средство выразительности, а не как имитация правдолюбия. Захотелось тише и проще говорить, хорошо поставленные актерские голоса стали раздражать (хотя это не снимает в театре проблемы высокого лицедейства, шекспировских страстей и игры на котурнах). Наиболее чуткая театральная режиссура и наиболее чуткие актеры потянулись к экстравагантным, но предельно достоверным подробностям в поведении человека, стараясь почерпнуть их из арсенала скрытой камеры.

В кино мы впервые открыли для себя шокирующую нас истину: при некоторых особых условиях дилетант может быть выразительнее профессионала. Потом проверили на сцене — действительно может! На репетициях пьесы Арбузова «Жестокие игры» я стал выкрикивать из зала: «Так дилетант не поступит! Так дилетант не скажет! Так дилетант не задумается! У дилетанта так голос не зазвучит! Так может разговаривать только артист!» Интересно (и я об этом уже писал), что голосовые связки, скажем, у продавщицы в гастрономе вибрируют иначе, чем у актрисы, играющей продавщицу.

Полностью воссоздать облик того же торгового работника — один к одному — может либо совсем молодая актриса, которая еще не обрела прочных сценических штампов, не утеряла нитей, связывающих ее с нетеатральной жизнью, либо редкий по своему таланту и актерскому слуху зрелый мастер экстракласса. Но это отчасти из области мечтаний.

Впрочем, тот пафос, который вырвался из моего потока киносознания, можно легко понизить, заземлить и полить изрядной долей скепсиса.

Пока мы еще вправе рассматривать кинематограф как самостоятельный вид искусства, но дни его самостоятельной жизни, по-моему, заканчиваются. Если согласиться с моим утверждением, что все мы со страшной и все возрастающей скоростью погружаемся в пучину космического телевидения, то кинематограф уже можно рассматривать как предварительную технологическую разработку общепланетарного или, точнее, вселенского телевидения. Все уплотняющиеся информационные потоки превращаются в окружающую нас виртуальную реальность. И очень скоро нам станет безразлично, каким образом получено изображение — с помощью кинокамеры, заправленной пленкой «Кодак», или способом цифровой видеозаписи шестого поколения, то есть когда видеозапись при взгляде знатока перестанет уступать кинопленке, а скорее всего (и я в этом убежден) — превосходить кинокопию по всем техническим и эстетическим параметрам.

Мне очень давно хотелось приобщиться к кинорежиссуре, еще в пору моих первых сценических сочинений. Не останавливаясь на некоторых невнятных работах на телевидении в шестидесятые годы, обращусь сразу к «Двенадцати стульям» И.Ильфа и Е.Петрова. Обращусь ненадолго, мимоходом, потому что это странное, полулубочное, наивное теледейство не стало поворотным моментом в развитии мирового искусства. Но я был прав, что не стал соревноваться с традиционным кинематографом, а сделал в результате некое литературно-музыкальное обозрение с большими текстовыми блоками, целиком извлеченными из первоисточника.

По прошествии нескольких лет после первого показа четырех серий музыкального теледейства зрители стали смотреть на мое творение с несколько большей симпатией, чем при первоначальном знакомстве. «Поменялись многие вкусовые пристрастия, — объяснял мне Михаил Козаков. — Ильф и Петров перестали быть самыми любимыми писателями. Появился Булгаков с «Мастером и Маргаритой» — и еще кое-что другое. На твое музыкальное хулиганство перестали смотреть с прежней строгостью».

Это неточная цитата, но смысл его диагноза был именно таким. Очевидно, Козаков был прав. Зрителям захотелось отчасти порадоваться, повеселиться или чуть-чуть погрустить по поводу своих юношеских увлечений, во всяком случае отнестись к увлечениям своих родителей с нескрываемой иронией.

Эту потребность замечательно почувствовали композитор Геннадий Гладков и поэт Юлий Ким. Настало время снова спеть какую-нибудь «Рио-Риту» или «Брызги шампанского», но уже с иным отношением к любимцу советского народа Остапу-Сулейману-Берте-Марии-Бендеру-Бей. Дистанция во времени подтолкнула нас к иному восприятию феерического Андрея Миронова и незабвенного Анатолия Папанова. Зрителям не захотелось лицезреть стопроцентного реалистического Остапа Бендера, назрела потребность в чисто эмоциональном (не идейно-смысловом) воспоминании о нашем былом увлечении. Не знаю, кого имел в виду Юлий Ким — Андрея Миронова или Остапа Бендера, когда сочинил один из своих пронзительных фокстротов:

...О, наслажденье скользить по краю!
Замрите, ангелы, смотрите — я играю.
Моих грехов разбор оставьте до поры,
Вы оцените красоту игры!..

Остроумная музыка Гладкова, состоящая из мелодий, которые запоминались раз и навсегда, удивительно элегантные, иронические стихи Кима, блистательные актерские работы Миронова и Папанова — все это представляло собой неоспоримую ценность. Хуже обстояло дело с режиссурой. Режиссеру не хватило умения грамотно реализовать то немногое, что было хорошо задумано, не хватило умения, воли, целеустремленности в съемочном периоде, не хватило сил удержать весь гигантский объем сценария в плотном единении с художником, оператором, сложным, многотрудным производством, не хватило навыков импровизировать на пустом месте или при очень скромных постановочных возможностях. Если обобщить и упростить проблему — было слишком много режиссерского авантюризма, с избытком хватало режиссерской наглости — но не хватило таланта, если понимать под этим словом совокупность самых разнообразных качеств и умения талантливо решать задачи профессионально несовместимые, но подвластные тому, кто пытается причислить себя к суперпрофессионалам.

Совсем скоро, в 1976 году, мне удалось доказать, что я хоть и не семи пядей во лбу, но не случайный человек в кинематографе — Сергей Николаевич Колосов, руководитель мосфильмовского объединения телевизионных фильмов подарил мне идею «Обыкновенного чуда» и пригласил на постановку. Здесь, подобно тем людям, что изгоняют из себя бесов, я выбросил прочь всяческую нахрапистость, легкомыслие, производственное недомыслие и подошел к подготовительному процессу со всей ответственностью, волей, стопроцентным «погружением» в парадоксальный и мудрый мир героев Евгения Шварца.

Я начал писать режиссерский сценарий очень медленно, возможно, погрузив себя в своеобразный транс с элементами акварельных галлюцинаций. В транс меня вводила кассета с голосом Джо Дассена, которую я практически не выключал. Через некоторое время я как бы переставал слышать Джо Дассена и начинал улавливать сердцебиения шварцевских героев.

Когда-то С.И.Юткевич в Студенческом театре МГУ сказал мне, что в кино самое главное — сотрудники. Мой ангел-хранитель вместе с С.Н.Колосовым послал мне замечательных соавторов — художника Людмилу Кусакову и оператора Николая Немоляева. Разумеется, при мне осталась русско-корейская гремучая смесь — Юлий Ким (я назвал его позже синтезом корейского отчаяния с русской безысходностью) и наследник «могучей кучки» Геннадий Гладков. Еще я постарался, не останавливая работу Ленкома, сделать так, чтобы в фильме обязательно снималось хотя бы несколько ленкомовских актеров. Евгений Леонов и Олег Янковский не вызывали у мосфильмовского руководства сомнений (роли в то время утверждались дирекцией Мосфильма). В отношении только что поступившего в труппу Александра Абдулова у начальства сомнения были. На предложение поучаствовать в кинопробах молодой Александр Гаврилович ответил: «С удовольствием. Потому что все равно пробуюсь всегда я, а снимается потом Косталевский».

Эта фраза, признаюсь, добавила мне спортивного азарта, и в результате Александр Абдулов сыграл, по-моему, важную для него роль. Мне очень хотелось, чтобы в фильме снимался Александр Збруев, но что-то помешало ему, возможно, вполне закономерные сомнения. В роли хозяина гостиницы замечательным образом запечатлелся Юрий Соломин. Когда его назначили министром культуры Российской Федерации, все телевизионные каналы стали дружно и ежевечерне демонстрировать его дуэт с Екатериной Васильевой, где министр культуры проникновенно пел в любовном экстазе:

Ах, сударыня, когда мы с вами вместе,
Все цветочки расцветают на лугу...

Закрадывается даже подлая мысль — уж не сказался ли этот дуэт на продолжительности его министерского служения.

Очень многое для меня значило общение на съемочной площадке с Евгением Павловичем Леоновым. Он, как никто другой, понимал разницу между комедийной ситуацией, которая возникала, скажем, при съемках в павильоне, и конечным результатом на пленке. Здесь я получил от него несколько бесценных уроков. В двух-трех случаях он наглядно продемонстрировал мне свое превосходство в чисто кинематографическом мышлении. Он говорил примерно так: «Давайте снимем, как вы этого просите, а потом один «актерский дубль» — то есть я сделаю это же самое, но несколько по-другому. В павильоне моя версия выглядела интереснее, а на пленке в просмотровом зале то, что делал Леонов, оказывалось всегда более точным и комедийным.

Но однажды я все-таки одержал убедительную победу, правда, в несколько ином, цензурном аспекте. Леонов в роли Короля появлялся в оконном проеме, задерживаясь для общего приветствия перед сценой венчания. Выход был торжественным и под звуки марша. Я попросил Евгения Павловича остановиться на несколько секунд и приветствовать собравшихся, слегка приподняв руку, как это делали в то время члены Политбюро на трибуне Мавзолея. Естественно, репетиция вызвала общий взрыв энтузиазма всей съемочной группы. Евгений Павлович глубоко задумался. Многолетний опыт съемок в кинокомедиях его многому научил. Он сказал: «Маркуша, будем переснимать и за те же деньги».

Я согласился, что надо снять вариант без подъема руки, но и предложенную мной акцию также запечатлеть на пленке. Не знаю, чем руководствовались многочисленные цензоры — то ли симпатией к Леонову, то ли к фильму, то ли отсутствием должного порядка в их рядах, — но «правительственное» приветствие уцелело в фильме.

Времена меняются быстро. Сейчас это — невинная полушутка. Но в день премьеры фильма в Доме кино, когда Евгений Павлович поднял руку, начался общий и демонстративный восторг с повальным хохотом.

Закончив работу над «Обыкновенным чудом», я очень скоро бросился вместе с Григорием Гориным в экранизацию его «Того самого Мюнхгаузена». Очень радовало, что в глазах Янковского-Мюнхгаузена обозначились шальные комедийные огоньки.

Пьеса Горина имела неоспоримые достоинства и одно самое ценное — в пьесе был второй акт. Стало

быть, фильм имел органичное право на двухсерий-
ность.

Проблема второго акта — головная боль для любого
драматурга, а стало быть, и режиссера. Первый акт
очень часто сочиняется как удачно придуманная расши-
ренная экспозиция, но никакого «тектонического» глубинного взрыва, космического изменения в созидаемом
автором мироздании, увы, часто не происходит. Сегодня
для меня это особо сложная и больная тема. Я не люблю и даже не приемлю одноактных спектаклей. (Конечно, понимаю, что в любом театральном суждении нет
стопроцентной истины.) Но мне, повторю, важен второй акт, неподвластный зрительскому прогнозу. Предтеча назревающего, преобразующего мир взрыва должна
обязательно обозначиться в финале первой части. Лично для меня этот вопрос принципиальный, возможно,
замешанный на профессиональном достоинстве. Если я
приглашаю людей на серьезный игровой фильм, я не
должен показать им взамен ловко сделанную коротко-
метражку.

Со спектаклем (обязательно двухчастным) примерно
та же история. Просто поделить одномерно развиваю-
щуюся ткань сценического сочинения пополам — смысла не имеет. Что-то есть в этом неполноценное. Хочешь
претендовать на владение суперпрофессией (а кто из
режиссеров не хочет?) — создавай многомерный, поли-
фонически развивающийся процесс с обязательными
резкими сломами — это соотносится с динамикой зиг-
загообразной человеческой жизни.

В «Том самом Мюнхгаузене» замечательно сыграл
роль герцога Леонид Сергеевич Броневой. Когда только
формировался состав исполнителей для этого фильма, я
уже смотрел на него с режиссерским вожделением, по-

нимая, как важно для Ленкома заполучить в свою труппу актера такого масштаба.

Однажды, уже не помню по какому случаю, он показал мне крохотный актерский эскиз, его личное наблюдение из жизни номенклатурных деятелей. С точки зрения сюжета или трюка это была мимолетная актерская чепуха, но выполненная с такой филигранной психологической выразительностью, а главное, убийственной достоверностью, что я запомнил этот этюд на всю жизнь. Леонид Сергеевич рассказывал мне о том, как важно в нашей жизни не выделяться. (Рассказ был связан с темой барона Мюнхгаузена.) Леонид Сергеевич вспомнил, как жестоко пострадал один его молодой знакомый. (За точную достоверность, кем приходился Броневому герой его мини-рассказа, сейчас уже не поручусь.) Но молодой человек приобрел автомобиль иностранного производства и припарковал его возле военной академии, где работал или учился. Естественно, автомобиль резко контрастировал с застывшими у академии черными «Волгами». Леонид Сергеевич показал мне, как именно, какой походкой, один из генералов подошел к окну, как посмотрел на иномарку и как спросил — чей автомобиль? Когда ему ответили, Леонид Сергеевич показал, как неподвижным образом и тупо задумался генерал и как спросил: «А кто отец?» Когда выяснилось, что отец — никто, генерал Броневой, не моргнув глазом, отошел от окна, и, несмотря на его неподвижное лицо, стало понятно, что судьба владельца иномарки решена окончательно и бесповоротно.

Когда я говорю «Леонид Сергеевич показал», я явно употребляю неверную терминологию. Броневой ничего не показывал, он — существовал. Более того, его мозг, я это чувствовал кожей, начинал при мне медленно переваривать информацию так, что я был абсолютно убежден — его мозговые нейроны меняли режим работы. Умение изменять работу клеток в своем организме, может быть даже, частично, артериальное давление и химический состав крови — есть высший актерский пилотаж, возможно, принадлежащий уже психологическому театру XXI века.

Со всеми студентами трех наборов моей режиссерской мастерской РАТИ я всегда обязательно проводил беседы о роли Мюллера в «Семнадцати мгновениях весны». Леонид Сергеевич служил мне своеобразным учебным пособием в сегодняшних режиссерских раздумьях о том, что такое актерская оценка, действие, формирование или поиск мысли. К открытиям Станиславского его Мюллер имел самое прямое отношение, разумеется, на высшем витке их актерской реализации.

Мое режиссерское требование — если захватил сегодня внимание зрителя, смелее и чаще сажай его на «голодный информационный паек», — имело в мастерстве Броневого свою блистательную реализацию. Современный зритель, как говорят в детективах, «слишком много знает». Пусть не знает, пусть только чувствует, что человек по-настоящему, всерьез думает, ничего при этом не иллюстрируя. Пусть видит (точнее, чувствует), что человек готовится принять решение. Но какое именно? И когда конкретно? Пусть не всегда понимает. Актера очень часто тянет к позированию, Броневой-Мюллер чужд какой-либо позы, он занимается своим непростым делом, как, между прочим, все мы очень часто работаем, не отражая лицевыми мускулами всех трудностей нашей работы. В принципе, теоретически, ничего нового здесь нет. Немирович-Данченко говорил: «Лицо должно быть нейтрально». К сожалению, в нашей театральной и кинематографической практике это получается крайне редко. То актеру хочется быть красивым, то многозначительно задумчивым, то на редкость умным — причем до такой степени, что приходится прищуриваться.

Броневой-Мюллер нигде не щурится и не радуется, что к нему приходит, наконец, умная мысль. Она просто к нему приходит. Какая и когда — это, действительно, вопрос. Причем интересный. Настолько интересный, что спустя десятилетия этот фильм люди продолжают смотреть — хорошо понимая, что, несмотря на отменный актерский состав, явный лидер здесь один — Л.С.Броневой.

Зачем он время от времени подергивает головой? Что, это логично, закономерно? Можно однажды подергаться, если узок воротничок, но зачем же так часто? Какая цель? Что зритель должен в связи с этим понять? Это ведь нормальные режиссерские вопросы, никак не противоречащие практике и заветам великого Станиславского. Только режиссура в лучших своих проявлениях не стоит на месте, летит вместе с сумасшедшим временем. И мышление лучших актеров тоже претерпевает изменения.

Так вот, о мотивации. Человек посылает в окружающее пространство сигналов во много раз больше, чем предполагает. Не все сигналы заметны сразу, а из числа заметных — не все однозначны. Многие биологические мини-акции сразу свидетельствуют о тех или иных изменениях в организме, другие — не сразу. Их можно расшифровывать мгновенно, как в мыльных операх, но можно, как в серьезном психологическом актерском процессе, расшифровывать не сразу — с трудом, потом, после долгих размышлений, а могут остаться и такие живые сигналы, которые вообще не расшифруешь. Подергивание головой Мюллера — это работа для психоаналитика, психиатра, врача, очень опытного следователя. Не всякий зритель может им оказаться и, более того, заинтересоваться дергатней, чтобы найти первопричину своеобразного нервного тика. По моему режиссерскому разумению — всегда рационального (логичного) объяснения тому, что видишь, находить не надо. И на все вопросы о конкретном человеке отвечать не нужно, потому что в реальной жизни это практически невозможно.

— Зачем головой дергали? — задал я, может быть, самый важный для меня вопрос Броневому.

— Воротничок сшили узкий, я однажды от неудобства и повел головой. Потом перестал — режиссер Лиознова недовольно спросила: почему больше головой не трясете? Говорю: трясти? Она говорит: обязательно.

Почему так сказала Лиознова? Потому что талантливый режиссер. А почему Броневой превратил это в такую органически необходимую ему привычку? Потому что суперодаренный профессионал. Живые, не вызывающие сомнения в своей обязательности, на первый взгляд не мотивированные нюансы в человеческой пластике подсознательно повышают зрительский интерес к тем персонажам, которые уже сумели захватить внимание.

Короче, у интересного человека всегда есть своя загадка. У Броневого подергивание головой — одна из притягательных тайн Мюллера, которая незаметно оседает в нашем сознании.

Леонид Сергеевич очень укрепил труппу Ленкома, может быть, в какой-то степени спас ее «звездную плеяду», когда из жизни ушли почти сразу Евгений Павлович Леонов и Татьяна Ивановна Пельтцер. Он сыграл в «Мудреце», в «Варваре и еретике», о его Дорне в «Чайке» боюсь говорить. Это долгий, обстоятельный разговор, на который еще надо набраться сил.

Посмотрев у нас «Чайку» Петер Штайн сказал мне:

— Вот о таком актере мечтал всю жизнь. Очень хотел бы с ним поработать.

Жалко, не поработал — получил бы таких... затрещин, так бы закалился и возмужал, что мы бы его потом не узнали. Характер у Леонида Сергеевича, как бы сказать совсем помягче, «у-у-у...». С режиссерами работает — как Иван Грозный с сыном на известной картине Репина. (Шучу, конечно, потому что очень люблю и слегка побаиваюсь.)

ПОТОК ПОЛИТИЧЕСКОГО СОЗНАНИЯ
И НАРОДНОЕ ДЕПУТАТСТВО

В 1989 году я, неожиданно для нашего народа и для себя самого, стал народным депутатом СССР. Это был «горбачевский призыв», когда кроме нормальных депутатов, которых выбирали на избирательных участках, появились еще и не совсем нормальные, которых избирали в творческих союзах и общественных организациях.

М.С.Горбачеву так надоело видеть одни только партийные физиономии и постоянно слушать одни и те же номенклатурные речи, что он вместе со своими сподвижниками решился на смелую, я бы сказал, отважную акцию. Страна жаждала обновления, и он, ощущая потребность нового времени, попытался привлечь к процессам перестройки интеллектуальную элиту.

Я тоже оказался в элите, точнее сказать, среди элиты. Союз театральных деятелей тайным голосованием в числе некоторых других известных в театральном мире людей избрал и меня. Я получил депутатский значок, красивое удостоверение, где было сказано, что я могу пользоваться бесплатно всеми видами транспорта, кроме такси. Еще, оказывается, я имел право вызывать дежурный депутатский автомобиль в любое время и из любого места. Этого я не знал, узнать не успел, потому что народных депутатов СССР скоро разогнали.

В Кремле мне очень понравилось. Особенно запомнился буфет, где цены были несоразмерны тем ценам, которые были тогда за пределами Кремля. Правда, такое было только на Первом съезде народных депутатов СССР, на Втором — цены уже были много хуже, как во всем остальном государстве.

Несмотря на то, что присутствовать на всех заседаниях съездов, от начала до конца, было делом тяжелым, я все равно вспоминаю эти дни со светлым ностальгическим настроением. Я увидел и услышал многих интереснейших людей. Мое место было расположено рядом с известным социологом и публицистом Т.И.Заславской и замечательным ученым-филологом В.В.Ивановым. Прямо передо мной сидел академик А.М.Емельянов вместе с Б.Н.Ельциным. Борис Николаевич часто оборачивался, и мы, хотя и мимоходом, обсуждали проблемы мироздания, а также номенклатурных привилегий.

Я познакомился с личностями самобытными и непохожими на моих театральных сотоварищей: с академиком В.И.Гольданским, с очень остроумным академиком Н.В.Карловым, с главным буревестником перестройки Н.П.Шмелевым, Г.В.Старовойтовой, Ю.Ю.Болдыревым, А.А.Собчаком, А.В.Яблоковым и многими-многими другими.

Очень запомнился Юрий Николаевич Афанасьев, автор блистательных историко-публицистических очерков и бессмертного обращения к депутатам. Проанализировав первые дни работы съезда, он вышел к трибуне и объяснил собравшимся народным избранникам, что они представляют из себя «агрессивно послушное большинство».

Познакомился я и с легендарной фигурой современности С.С.Аверинцевым — личностью загадочной и непредсказуемой. После одной очень нервозной и бурной схватки в районе президиума я, помню, бросился к нему за разъяснением лично его позиции, но он сказал так:

— Кошки очень интересные существа, много думаю о них. У кошек очень любопытные повадки, существует целый ряд особых кошачьих интересов. Например...

Далее я услышал краткое, но захватывающее по своей сути философское эссе о кошках вообще и перестал думать о президиуме съезда.

Г.Х.Попов объяснил мне (правда, несколько позже), что романтики перестройки, победившие демократы, ни на что серьезное не способны. Они хороши у микрофонов, в вихрях митинговых страстей, а конкретным делом по строительству новой государственной структуры заняться не сумеют. И вообще ничего хорошего у нас, победивших демократов, не получится, работать-то мы не умеем.

Вот такой был провидец. Но — оптимист, потому что по каждому случаю всегда хитро улыбался. Впрочем, он-то как раз и сделал полезное для новой России дело — смело двинул вместо себя на московские просторы Юрия Михайловича Лужкова, обладателя уникальных деловых качеств, человека редких кондиций, воли, ума, интуиции. Несмотря на его простонародный облик, Ю.М.Лужков, по моим наблюдениям, человек с философским складом ума, широчайшими познаниями в самых разнообразных сферах созидания. С Лужковым у всех москвичей связано так много позитивных эмоций делового, научного, строительного, общекультурного свойства, что рассказ о нем не хочется комкать. Это предмет многотомного исследования, где я готов написать одно из предисловий: «Лужков и московские театры».

Что касается Б.Н.Ельцина, то мы познакомились с ним в 1989 году еще при выдвижении кандидатов в депутаты в избирательном округе, где он выступал перед собравшимися как кандидат, а я — как доверенное лицо одного известного кинорежиссера. Я, помнится, был преисполнен публицистического неистовства, и во время ответов на вопросы Ельцин пару раз сослался на меня. У нас после встречи даже состоялся короткий исторический разговор. Вот только о чем мы тогда говорили — вспомнить не могу. Наверное, разговор был не историческим, а просто поговорили и всё. Историческим был визит Бориса Николаевича в Ленком, когда его с большим шумом выдворили со всех высших партийных постов. Я тогда позвонил Ельцину и пригласил его на один из премьерных спектаклей — «Диктатуру совести» М.Шатрова. Олег Янковский, который ходил в этом спектакле по залу с микрофоном, предлагая зрителям высказываться на самые больные внутриполитические темы, вскоре услышал возгласы: «У Ельцина чего-нибудь спросите! Пусть скажет Ельцин!» А одна дама не выдержала и даже громко закричала:

— На сцену его!

Янковский, перепуганный, бросился к Ельцину и объяснил, что на сцену ему выходить совсем необязательно — раз он пришел как зритель, пусть лучше скажет что-нибудь с места.

Ельцин сказал как-то очень коротко и толково. Зрители ему дружно зааплодировали, хотя Янковский микрофон ему в руки не дал, а держал перед носом. Потому что я категорически запретил выпускать микрофон из рук.

Однажды один скромный зритель попросил:

— Можно сказать в стихах?

Янковский обрадовался, передал зрителю микрофон. Зритель стал читать, но оказалось, что это у него не стихи, а поэма. Очень длинная. В нескольких частях.

После спектакля Борис Николаевич зашел ко мне в кабинет, где встретился с писателем-эмигрантом Юзом Алешковским. Тем самым, что сочинил любимую народом песню «Товарищ Сталин, вы большой ученый...».

Несмотря на разгар антиалкогольной компании бледный администратор театра передал мне дрожащей рукой бутылку коньяка.

Когда мы разлили коньяк по рюмкам и у Б.Н.Ельцина зажурчала с Юзом Алешковским оживленная беседа — мне как в голову ударило: «Вот оно, новое время, здравствуй!» Потому что вообразить такое еще месяца два-три назад было невозможно. «Теперь в моем кабинете все возможно», — это вторая мысль, которая тоже ударила и тоже в голову.

Третья мысль была хуже двух первых, потому что Ельцин отправился из театра пешком. Автомобиля его лишили, а в театре в то перестроечное время с автомобилями было плохо, к вечеру они подлым образом кончались.

Я, как гостеприимный хозяин, ударился в панику и бросился к нашему электрику, который, по слухам, владел непристойного вида старым «Запорожцем».

Мы догнали одиноко шагающего Ельцина в переулке, и я аристократическим жестом распахнул с неприличным скрипом дверцу поданного автомобиля.

Ельцин оценил благородный поступок коллектива и, поблагодарив, полез в «Запорожец», полагая в нем уместиться. Это был явный просчет будущего Президента России. Без посторонней помощи и смекалки нашего электрика Ельцин в «Запорожце» ни за что бы не поместился. Иной раз его туловище уходило в крошечный салон почти целиком, но будущие президентские ноги втиснуться никак не хотели. Исчерпав свойственный мне аристократизм, я, в конце концов, в отношении ног применил грубую силу. И — мне повезло, Борису Николаевичу тоже, потому что «Запорожец», хотя и завелся не сразу, но все-таки, вздрогнув от напряжения, вскоре уехал.

Довольно скоро я стал членом Президентского совета и иногда вспоминал на его заседаниях не только о своих общественных, но и личных заслугах. Даже мысленно проводил параллель с Гриневым из «Капитанской дочки», который вовремя не пожалел заячьего тулупчика.

Наверное, Ельцин не будет причислен к лику святых, но моя симпатия к нему, несмотря на все зигзаги его президентства, осталась по существу неизменной. Я сразу же, еще на собрании в избирательном округе, оценил его человеческую незаурядность, своеобразное, смелое мышление, личное мужество. Как режиссер, очень зауважал его в момент его выхода из КПСС.

Пока Ельцин говорил в лицо недоброжелательно настроенному залу о своем решении расстаться с коммунизмом, воцарилась мертвая зловещая тишина. Его готовы были разорвать на части, но он смотрел им в глаза, и ненавидящие его люди испытывали страх перед человеком со столь мощной убежденностью, со столь явным энергетическим превосходством. Он, как гипнотизер, подавлял их номенклатурную психику, и они, сидя на своих местах, словно бы, вбирая головы в плечи, пятились. И только потом, когда Ельцин пошел к выходу, в спину ему понеслись улюлюканье, свист и разного рода зловонные возгласы.

Пока он смотрел им в глаза и говорил, его доводы не казались залу убедительными. С точки зрения логики, он ни в чем никого не убедил, просто его манера, пластика, воля, внутренняя нервная концентрация — все это было источником коллективного, неосознанного животного страха.

Эти выразительные мгновения из сферы человеческих взаимоотношений щедро пополнили мою режиссерскую коллекцию.

Режиссер обязан всю жизнь коллекционировать такого рода человеческие проявления, что не укладываются в среднестатистическую логику бытового мышления, выходят за ее пределы.

Когда Ельцину позволяло здоровье, он был всегда непредсказуемо остроумен, дружелюбен, нес в себе заряд какой-то веселой удали.

Он сохранил поразительную для бывшего секретаря обкома верность идеям гласности и свободы слова. Сейчас, когда пишу эти строки, многие весьма искушенные аналитики укоряют его во многих ошибках, пороках, заблуждениях. Я не хочу участвовать в этих разговорах не потому, что считаю его безгрешным, а потому, что убежден: личная, человеческая свобода, которая воцарилась, наконец, в стране после сплошного бесправия и цензурного гнета, — заслуга прежде всего Ельцина. После космических свершений Горбачева еще возможен был антидемократический, тоталитарный реванш, после Ельцина вернуть Россию к идеологии брежневского застоя уже невозможно.

Об идеологии, кстати, у нас возникла с ним хотя и непродолжительная, но полемика — в период активной работы Президентского совета, когда «довольно интересная» компания людей высказывала Президенту весьма откровенные, порой достаточно резкие суждения.

Я сказал однажды, что большую часть своей жизни боролся с ненавистным мне идеологическим аппаратом,
но теперь, когда этот аппарат уничтожен полностью, у
меня вместе с радостью возникла определенная трево-
га: в жизни появилось слишком много нового, непри-
вычного, очень многие люди растеряны и ждут от высшего руководства конкретных тщательных разъяснений
в связи с совершенно новой ситуацией в стране; нельзя
оставлять людей без плотного идеологического контакта, без диалога с властью — очень скоро образуется ва-
куум, и туда ринутся такие идеи и настроения, с которыми общество потом не справится, и построение новой демократической державы может затормозиться, в
том числе по чисто идейным соображениям...

— Что же, нам теперь создавать министерство пропаганды? — удивился Ельцин. — Как у Геббельса?

— Нет, Геббельса нам не надо!.. — Я попытался еще
раз сказать о всякого рода тоталитарных и сепаратистс-
ких идеях, но сделал это, видно, путано и не убедительно.

Вспоминаю об этом, потому что через несколько лет
стало ясно, что информационные контакты новой власти с народом оказались проблемой серьезной, болез-
ненно-острой. Огромное количество людей вдруг сразу
осталось без надежных правительственных или прези-
дентских разъяснений. Например, по поводу разного
рода финансовых пирамид. Правительственные органы
обязаны были дать квалифицированную правовую информацию. Рефлексы, выработанные за долгие годы советской власти, были слишком быстро разрушены.
Многие резкие шаги привели к непредсказуемым цеп-
ным реакциям.

Если бы я писал отчет о своем участии в работе
Президентского совета, обязательно упомянул бы об

очень глубоких и по-своему остроумных выступлениях Н.П.Шмелева, А.А.Собчака, Г.Х.Попова и многих других.

Мне тоже кое в чем удалось убедить Президента. Так мне, по крайней мере, казалось. Но вот уговорить его действовать решительно в тех случаях, когда ему наносятся личные оскорбления, не удалось.

Мне всегда казалось, что в стране где люди очень часто не видят разницы между вольницей и свободой, надо думать о демонстративном ужесточении некоторых законов. Г.Х.Попов предлагал, например, в том числе в печати, рассматривать угон автомобиля как преступление, идентичное квартирной краже. Но Ельцин всякий раз уклонялся от проявления какой-либо узаконенной жестокости. Разговоры о том, что некоторые, скажем так, полемические суждения сегодня в России не должны звучать, всегда им решительно отклонялись. Здесь он проявлял себя как неисправимый демократ. Будучи человеком исключительной воли, властолюбия, энергии, он лично, по моим наблюдениям, боялся обижать людей и кому-то затыкать рот.

Мои утверждения, разумеется, относятся ко временам нашего довольно плотного общения, в том числе в утвержденном им Президентском клубе, где я однажды познакомился с семьей Президента. Сейчас, когда я это пишу, слово «семья» считается почти неприличным. Но мне семья понравилась.

Последний раз я обстоятельно общался с Б.Н.Ельциным в день семидесятилетия Ленкома. По-моему, этот праздник, торжественный выход на сцену Президента России, запомнился не столько счастливому залу, сколько некоторым нашим коллегам, особенно когда Ельцин стал весело награждать орденами ведущих мастеров театра и зачитал список подаренных автомобилей. Здесь некоторые театроведы содрогнулись и усмотрели мое предательство передовых идеалов российской интеллигенции. Если ты подлинный художник, будь добр — либо зови к топору, как любимый писатель Ленина батька Чернышевский, либо демонстративно конфликтуй с ненавистной властью. Власть в России для истинного интеллигента всегда должна быть ненавистной. Если он честный человек.

Разговор об этом заблуждении, об этой химере, свойственной многим, в том числе неглупым деятелям культуры, традиционный и очень российский.

Я даже хотел бы привести сейчас весь список «предателей», то есть тех театров, где Президент побывал лично, где заглядывал за кулисы и где иудины дети ему радовались.

Еще меня укоряли: как не стыдно во время чеченских событий отмечать в театре юбилеи, когда вся лучшая интеллигенция и СМИ духовно присоединились к народно-освободительной войне под руководством Дудаева, Басаева, Яндарбиева и других борцов за свободу и народное счастье. (Речь идет о первой чеченской войне.)

Скажу прямо, я никогда не сочувствовал воинствующему чеченскому сепаратизму, грозящему окончательно развалить российскую державу. Я этого не скрывал ни в начале войны, ни после и выступал по этому поводу на страницах «Известий». При всем моем радикальном демократизме, очевидно, многонациональная российская держава — для меня понятие святое.

Что удалось домыслить усилиями лучших умов России? Нынешняя власть вполне соответствует тому обществу, которое возглавляет. Добавлю: если я раньше усмехался и острил по поводу Государственной думы, сейчас отношусь к ней с предельным вниманием, если не уважением: она — точный индикатор, зеркальное отражение того, что мы из себя представляем. Отмахиваться от нее, потешаться над перипетиями думских заседаний, по меньшей мере, неразумно.

Надо ли обязательно при всех случаях презирать власть и от нее шарахаться? Не знаю. Дело личное, интимное. Но хочу напомнить, что в нашей истории были не только последователи Чернышевского, были еще и продолжают существовать традиции Жуковского, Карамзина, Сперанского, Тютчева, Островского, наконец, Пушкина. Ведь написал же он восторженную оду царю Александру I! Конечно, любил и позволял себе злые эпиграммы. Но кто просил его так долго и обстоятельно общаться с Николаем I, с которым завязал практически дружбу? Известно и худшее — как щедро оплатил душитель декабристов долги погибшего поэта! Чего стоит одно только письмо царя к поэту после злополучной дуэли: «О жене и детях не беспокойся. Они будут моими детьми, и я беру их на свое попечение». Какие отношения надо было поддерживать с царской властью, чтобы получить такое письмо?! Андрей Дмитриевич Сахаров, например, по собственной инициативе шел на контакт с советским правительством и ЦК КПСС, направляя высшему партийному руководству проекты переустройства страны. Великий русский интеллигент Дмитрий Сергеевич Лихачев никогда не избегал общения с властью — я сам присутствовал на его оживленной беседе с Президентом. Он даже не побоялся принять из его рук орден Андрея Первозванного. Принимал, кстати, достойно, не морщился.

Наверное, до поры до времени на политическую власть можно вообще не обращать внимания — если она ведет себя безукоризненно, а если нет — у аполитичного писателя Ивана Бунина появляются «Окаянные дни»...

Великий Чехов тоже мечтал от политики держаться подальше. Его счастье, что не дожил до 1917 года или, хуже того, до 1919-го!..

Я, кстати, продолжаю думать, что общение Ельцина с Сахаровым оказало в определенный момент серьезное влияние на будущего Президента. Не прошло оно бесследно и для Горбачева, хотя в отношении Сахарова он был на Первом съезде депутатов СССР, как бы теперь сказать помягче, некорректен.

Раиса Максимовна Горбачева, по некоторым сведениям, сделала очень многое для привлечения к идейному руководству перестройки наиболее интересных и заметных деятелей российской культуры, которые этому не воспротивились. По-моему, именно она сосредоточила общественный интерес на Д.С.Лихачеве. Да и сам Михаил Сергеевич очень внимательно следил за настроениями творческой интеллигенции и отдельными ее наиболее яркими представителями. Он не стеснялся проявлять инициативу и идти на идейное и человеческое сближение.

Я тоже попался ему однажды под горячую руку — и с Тенгизом Абуладзе, Василем Быковым, Игорем Дедковым ездил вместе с ним в Нью-Йорк, где он, кстати замечательно, выступал на сессии ООН. Очевидно, я угодил в его свиту опять-таки по рекомендации Раисы Максимовны. Она инкогнито побывала в Ленкоме без Михаила Сергеевича и потом делилась со мной своими впечатлениями. В Нью-Йорке мы даже втроем беседовали о моем фильме «Убить дракона», и Горбачев признался, что посмотрел его дважды, что меня несколько озадачило.

Но особенно удивил первый наш контакт. После какого-то многолюдного перестроечного заседания в коридоре здания ЦК КПСС на Старой площади я услышал в толпе шагающих рядом людей его насмешливый голос:

— Да, задал ты нам задачки!..

Михаил Сергеевич имел в виду, скорее всего, только что появившуюся в «Огоньке» мою песню перестроечного вдохновения. Впрочем, может быть, последний Генеральный секретарь ЦК КПСС подразумевал под «задачками» и мое выступление в прямом эфире программы «Взгляд». Оно имело шумный продолжительный резонанс.

Ведущий телепрограммы Владимир Мукусев пригласил меня однажды в студию и показал репортаж о длинной очереди в Мавзолей. Репортер записал у стоящих в очереди отдельные короткие реплики, и все они почему-то удивляли своей дурашливостью и отсутствием какого-либо, пусть не скорбного, но осмысленного настроения. Я должен был, по мысли Мукусева, выступить со своим личным комментарием. Когда я поведал, что именно хочу сказать, Мукусев ответил, что запись наша будет происходить дважды: один раз — для районов Сибири и Дальнего Востока, второй раз — для европейской части, но то, что я хочу сказать, удастся сделать только единожды, второй раз мои предложения в эфир не выйдут. Я выбрал европейскую часть Отечества и в первой записи был неопределенно-уклончив. Естественно, потом я порвал с уклончивостью, и в прямой эфир на Европу пошел мой монолог о сталинском кощунстве, который, вопреки христианским традициям, превратил могилу в праздничную трибуну, явно используя труп в своих политических целях. И о том, что нельзя выставлять покойника на многие десятилетия с открытым лицом для всеобщего обозрения. И о том, что необходимо, с моей точки зрения, деликатно ликвидировать языческое кладбище на центральной площади столицы православного государства и похоронить Ленина по-человечески, в соответствии с культурными традициями той страны, где он родился.

Разумеется, это не дословная запись моего телемонолога, потому что с протокольной точностью я его уже воспроизвести не могу. Это было так давно, что еще собирался на свои заседания Пленум ЦК КПСС. Кстати, мое выступление прозвучало незадолго перед его последним в нашей большевистской истории заседанием.

Просматривая свежие газеты с материалами Пленума, я сразу же обнаружил яростную партийную критику в адрес Центрального телевидения и лично моего выступления. В театр пришло два письма от заводских коллективов без точного обратного адреса, где извещалось о всенародном возмущении и вынесении мне от имени рабочего класса смертного приговора. Жена было встревожилась, но я довольно скоро сообразил, что выступления на Пленуме уже не несут в себе, как в прежние годы, серьезной опасности. В газете «Правда» вместо Марка Анатольевича я в выступлении одного из возмущенных партийных вождей был назван Марком Александровичем, народным артистом СССР, в то время как я числился тогда только народным РСФСР. Это был добрый знак. Я знал, что при редакции «Правды» существует мощный институт проверки. Ошибок в этой газете изначально вообще быть не может, а если они вдруг появились, значит, кто-то их заметил, но умышленно не стал редактировать маразмирующих ораторов. Похоже, кто-то перестал заботиться об их авторитете и, возможно, с пониманием отнесся к моим словам.

Точно утверждать не берусь, но, услышав смешливый голос М.С.Горбачева и оценив его веселый глаз, я понял, что Пленум ЦК больше не представляет для людей смертельной опасности.

В период съездов народных депутатов у Б.Н.Ельцина состоялись, по-моему, очень важные для его демократических намерений и плодотворные контакты с Андреем Дмитриевичем Сахаровым.

Они вдвоем стали центром образовавшейся на съезде Межрегиональной депутатской группы. Благое намерение создать первую цивилизованную оппозицию, по-моему, очень встревожило Горбачева. Поэтому участвовать в работе группы сначала изъявило желание свыше четырехсот депутатов, но после указания Горбачева напечатать поименный список межрегионалов нас почему-то осталось вполовину меньше.

Помню, как мы собирались сначала в Кремле, потом в гостинице «Москва», где А.Д.Сахаров на потертой портативной машинке почему-то сам печатал программное воззвание Межрегиональной группы.

Здесь я приближаюсь к центральному месту всех моих повествований — личному знакомству с великим Сахаровым и нашему первому разговору с глазу на глаз.

Воспоминание об этом историческом мгновении в моей жизни осталось навсегда. На некоторых творческих вечерах мне писали не только записки, но иногда выкрикивали из зала:

— А теперь расскажите о ваших встречах с Сахаровым!

Здесь я всегда испытывал некоторый дискомфорт, но... Дело было так.

В разгар перестроечной эйфории М.С.Горбачев пригласил в свой кабинет на Старой площади группу творческих и научных работников. Не слишком большую, но и не такую уж маленькую. Поэтому во время перерыва в мужском туалете, имевшем почему-то единственную кабину, выстроилась очередь из лучших представителей научной и творческой интеллигенции. Я несколько раз заглядывал, но все не решался присоединиться — не из гордости, а по природной скромности. Наконец, когда очередь сократилась до двух человек, я принял окончательное решение, тем более, что перерыв заканчивался.

Когда последний стоящий передо мной сторонник перестройки захлопнул дверцу, я услышал за спиной шаги и почувствовал, что уже не я замыкаю очередь, а кто-то другой. Действительно, случилось. Рядом со мной стоял великий физик и правозащитник. Когда кабина освободилась, я, движимый лучшими побуждениями души, сказал Андрею Дмитриевичу, что, ввиду его появления, своей законной очередью воспользоваться не сумею.

— Ни в коем случае! — возразил Андрей Дмитриевич с нарочитой строгостью. — Здесь у нас должна царить полнейшая демократия!

Я захлопнул задвижку и, как назло, задумался о демократии. Не потому, что в ней усомнился, и не потому, что забыл, зачем сюда вошел. Просто занервничал, по-человечески. Когда понял, что нервничаю слишком долго, а главное, безрезультатно, решительно открыл кабину и честно признался, что ничего хорошего у меня не получается.

Андрей Дмитриевич понимающе развел руками и согласился занять мое место.

Когда он вышел из кабины, я решил с ним откровенно посоветоваться:

— Андрей Дмитриевич, не разрешите ли это обстоятельство зафиксировать в мемуарах?

— Разумеется, — улыбнулся Андрей Дмитриевич. — Абсолютно никаких возражений!

На всякий случай эту публикацию я согласовал потом с Е.Г.Боннэр, вдовой А.Д.Сахарова, которую мне удалось развеселить.

С каждым заседанием съезда народных депутатов я все явственнее начинал понимать, что период перестроечной эйфории сменяется каким-то иным историческим этапом. Зашла речь о формировании нового Верховного Совета. Начинали возникать тяжелейшие ситуации — в связи с событиями в Тбилиси, с протестами депутатов Прибалтики.

После выборов М.С.Горбачева Президентом СССР на одной его встрече с некоторыми деятелями культуры я попросил слова и честно признался, что пришел к выводу: профессиональным парламентарием должен быть не просто хороший режиссер, талантливый шахматист, добрый врач или умный академик. Конечно, могут быть единичные исключения, но парламентарий — это человек специфического таланта, имеющий незаурядные правовые и политологические познания, человек особого характера и особых человеческих кондиций.

Последний раз я участвовал в заседании Межрегиональной группы, когда один из докладов, о предполагаемом статусе депутата, делал А.М.Оболенский. Именно тогда меня посетила нехитрая мысль, что разного рода громкие политические акции притягивают к себе не совсем здоровых людей. Аналогичная ситуация в театре. Ко мне — и вообще в театр — ломится столько, скажем так, неуравновешенных людей, что иногда становится и страшно, и грустно.

Между прочим, первым человеком попросившим меня, как народного депутата, о встрече, был мой коллега, режиссер из небольшого города, которого уволили без достаточных на то оснований. Я смог принять его только поздно вечером, после спектакля. Он пришел ко мне с огромной кипой бумаг. Это были разного рода документы, мы принялись их вместе читать до тех пор, пока театр окончательно не опустел. Вскоре я понял, что в этом гигантском потоке заявлений, судебных заключений и просто частных записок разобраться без специальных познаний просто невозможно. Поскольку снова обращаться в суд коллега категорически отказался, я признался, что помочь ему не в силах и, может быть, ему стоит обратиться в Управление театров республиканского министерства.

— Да был я там вчера, — грустно сообщил коллега. — У этого... — Он назвал известное мне имя. — Тоже читал, читал, потом говорит: помочь не могу.

— Вы что же, не поверили?

— Конечно! Приставил ему нож к горлу. Он сразу извинился, говорит, помогу.

Поскольку дело происходило уже фактически ночью, я пообещал, примерно, то же самое.

Хотя думал потом о другом — как похудшало психическое здоровье у электората. Но и депутаты тоже хороши!..

Оболенский, делая доклад о статусе депутата, выдвинул революционную идею: у депутатов должна быть специальная, заметная всем форма одежды. Чтобы люди, даже идущие по противоположной стороне улицы, видели — вон идет депутат. Поскольку наиболее выразительная одежда была, по моим представлениям, у мушкетеров во Франции, то я живо представил себе широкополые шляпы с перьями и нарядные плащи. Поэтому, доклада до конца не дослушав, понял, что хочу свое народное депутатство спустить на тормозах. История помогла. Ликвидация СССР сама, без моего участия, решила этот вопрос.

Чтобы закончить с памятными для меня лично политическими страстями, выберу из них то, о чем чаще всего вспоминают журналисты. О моем сгоревшем партбилете. Признаюсь сразу, что я сожалею о том, что это произошло перед телекамерой и в порыве глупой театральной экзальтации. Выходить из КПСС надо было если и демонстративно, то спокойнее и по-другому.

В течение нескольких лет я вел телепрограмму «Киносерпантин», моя физиономия излишне часто появлялась на телеэкране, и на улице меня стали многие узнавать. Во время памятных событий военного путча 1991 года я вместе с другими москвичами рванул к танкам, где некоторые люди приветствовали меня, как самого смелого борца с коммунистическим реваншем. Кстати, в день путча из депрессивного состояния меня вывел Егор Яковлев, смело возглавлявший тогда газету «Московские новости». Я входил в редакционный совет при редколлегии, и, собрав его, всегда неунывающий и отважный Егор Владимирович, возглавляя уже запрещенную газету, предложил немедленно выступить с воззванием к демократическим силам России, не желающим возврата к тоталитаризму. После этого Яковлев пообещал немедленно напечатать этот призыв к борьбе в виде листовки. Все собравшиеся его поддержали. Все подписались под листовкой, но прежде чем поставить свою подпись, я все-таки мысленно стал прикидывать, в какой очередности будут арестовывать. Подумав, я отнес себя к третьей группе, тем более, что в Кремле уже составлялись арестантские списки. Умные люди потом поправили: в случае арестов пойдешь не в третьей группе, а во второй.

Любопытно было видеть на следующий день эту самую листовку с моей подписью, расклеенную на стенах домов, заборах и даже на бэтээрах и танках.

Москвичи проявили тогда редкое единодушие, и перепуганные алкоголики с трясущимися руками и танцами маленьких лебедей, попятившись, вывели войска с московских улиц, где сразу наступило законное ликование. Когда меня приветствовали незнакомые мне люди, я почему-то думал: вероятно, не знают, что я коммунист.

Очень скоро по телевидению выступил Нурсултан Назарбаев и сообщил, что группу коммунистических путчистов поддержали все региональные и республиканские руководители КПСС.

Состоялась прерванная танками запись очередного «Киносерпантина», где я еще раз процитировал сообщение Назарбаева, а потом как-то спонтанно, к радости оператора, чиркнул спичкой возле этого уникального документа, где утверждалось, что его владелец изначально принадлежит к «уму, чести и совести нашей эпохи».

Да, надо было расставаться с этим позорным документом как-то по-другому, но очень хочу спросить у тех, кто давно оставил КПСС, но никак не может по поводу меня успокоиться:

— Вы-то уничтожили свои партбилеты или где-то храните? Если не уничтожили, а спрятали, то зачем? На всякий случай? Как в годы оккупации? До поры до времени?..

Некоторые, наверное, ответят: храню как память. А память чего?

Отдельный вопрос о некоторых свойствах исторической памяти. Мы, конечно, намного умнее немцев. Они, дураки, хотят ничего в своей истории не забывать, очень умело и умно напоминают о фашистских ужасах по телевидению и в печати, причем регулярно. Я часто бывал в Германии и знаю, что в ратушах многих городов существуют постоянно действующие фотовыставки, где запечатлены концлагеря с грудами трупов, дымящиеся печи. Туда в обязательном порядке приводят школьников, чтобы те на всю жизнь запомнили страшные годы нацизма. Однако зримо-торжественную память о позорной странице победившего в Германии тоталитаризма немцы сохранять не желают. В отличие от нас — недалекие люди. Не оставили на улицах ни скульптур, ни даже бюстов фашистских вождей. Сочли, что те, кто в XX столетии подвергал свой и чужие народы массовому плановому истреблению, те, кто умерщвлял детей и превращал их в скелеты, кто строил хорошо оборудованные лагеря с душегубками, не достойны скульптурных изваяний. Удивительно, как не дрогнули руки тех, кто переименовывал улицы с историческими названиями — именами Гитлера, Геринга, Гиммлера.

Здесь мы, конечно, ощущая широту нашего интеллектуального и идеологического превосходства, не стесняясь, спрашиваем: «Гитлер был что, по-вашему, идиотом? Был только идеологом арийского антропологического превосходства? Только организатором уничтожения семи миллионов евреев? Он создал программный документ по превращению славян во второсортное, ограниченное по численности племя — и это, по-вашему, все? А его действительно выдающийся ораторский талант? Кстати, всеми признанный. А выдающиеся, особенно в первые годы власти, стратегическое мышление и организаторский дар? А подъем экономики, строительство дорог? Он что, недостоин ни одного памятника? А как можно не удивляться Герингу, по существу отцу современной космонавтики? Ракета Фау-2 — это же без пяти минут искусственный спутник земли...»

Нехорошо поступают немцы. Нельзя ничего из того, что принадлежит истории, сносить или сжигать. Закономерно, что многие у нас искренне сожалеют о сносе изваяния на Лубянской площади. Осиротела площадь. Какой был чекист! Как упорно и изобретательно уничтожал врагов большевистской диктатуры! Немцы-то скульптуру такого организатора геноцида снести бы не пожалели. А мы жалеем — потому что умнее.

Это у меня спонтанный политический наезд на Германию. Врагов надо искать с большей смелостью и геополитическим размахом. Без врагов мы многого не объясним в своем нынешнем созидании.

Думаю, что все-таки старые партийные билеты надо беречь и перепрятывать. Наверное, я умный, раз потом все правильно понимаю, хотя и задним числом.

Недаром во время митинга демократических сил примерно году в 1989-м В.И.Новодворская на Пушкинской площади объявила в мегафон народу, что лучшим президентом сегодня был бы режиссер Марк Захаров.

Я на митинги ходить не люблю, поэтому живьем такого полезного для народа совета не слышал, но многие знакомые подтвердили:

— Твое имя выкрикнули в президенты.

Как на новгородском вече. Ведь была у нас такая попытка приблизиться к демократии. Почему-то не прижилась. При Анне Иоанновне в XVIII веке мы тоже были близки к созданию «дворянской республики». Вспоминаю это для того, чтобы подчеркнуть, что в XX веке Россия предпринимала три попытки перебраться в новую цивилизацию, войти в мировое содружество демократических государств с развитой экономикой. Первая попытка — постепенное созидание конституционной монархии после 1907 года и мощный промышленный рывок. Вторая попытка — формирование большевистской империи с сильной системой государственного распределения. Третья попытка тоже случилась, но уже закончилась 17 августа 1998 года. Хватит ли сил в XXI столетии совершить четвертую? Можно ли, уничтожив крестьянство как класс, ликвидировав элитный генофонд, стать народом, не глупее поляков или китайцев? Этого я не знаю, но зато знаю, почему пока не получается с нормализацией экономики. Как говорит в нашем спектакле «Мистификация» Собакевич:

— Немцы мешают.

В ПОПСОВОМ ПОТОКЕ

Режиссером разного рода торжеств, юбилеев и презентаций может стать далеко не каждая личность, обученная на режиссера, даже если она обладает ярко выраженной организаторской хваткой. Человек, занимающийся постановкой концертно-радостных мероприятий, по своему культурному и интеллектуальному развитию ни в коем случае не должен приближаться к среднестатистическому режиссерскому уровню, он должен от него держаться подальше, не стесняясь отставать в своем человеческом и профессиональном развитии. Такое лицо должно быть по-своему дремучим и обладать заниженным представлением как о визуальных, так и звуковых критериях современной эстрады.

Главная цель такого рода специалиста-постановщика — обрушить на собравшихся дежурный шквал достаточно однородной, как теперь принято говорить, «попсы», среди которой может даже промелькнуть два-три имени, представляющих известный профессиональный интерес.

Для того, чтобы затруднить какую бы ни было зрительскую оценку случившегося грохота с однородными голосистыми пританцовками, организатор такого рода зрелищ ни в коем случае не должен как-то эстетически или постановочно развиваться. От добра добра не ищут. Конечно, следует следить за модой, новой электроаппаратурой, но успех в этом деле всегда зиждется на продолжительности во времени, на количестве мелькающих лиц, открывающих рот под фонограмму, бодрых хоров, тощих топ моделей в прозрачных платьях, вымуштрованных детей с ужимками взрослых поп-звезд и несвежих народных умельцев с балалайками.

Особо следует выделить два обязательных качества. Первое: необыкновенную протяженность мероприятия. За несоразмерную трех-, четырех-, пятичасовую длительность торжества никто никогда не обидится. Мы изначально, генетически не обладаем чувством формы, и фактор времени для нас всегда второстепенен. Единственное, в чем нам удалось преуспеть — в радости темпо-ритмического ускорения, своеобразного звукового озверения и введения при каждом случае музыкальных отбивок, призванных взбадривать и без того вздрагивающих зрителей.

Второе обязательное качество: не дать зрителю обмолвиться друг с другом не то чтобы репликой — словом. Для этого нужно нарастить такое количество децибел, такую звуковую зубодробящую мощность, чтобы на всякий случай полностью исключить общение зрителей между собой. В том случае, если приглашенные на торжество сидят за столиками, здесь ликвидация всякого нормального общения особенно важна. Один умный человек объяснил мне, почему так громко: «Чтобы не сказали лишнего».

Почему постановщик такого рода оглушительных акций должен быть неумным человеком? Сегодня развитие интеллекта пойдет ему во вред. Он не должен различать жанры, не говоря уже о стилистических или протокольных нюансах. Ему вредно отличать особенность одного торжества от другого, так же как и исследовать интеллектуальный состав зрительской аудитории и цели, что движут людьми, желающими собираться вместе.

Может быть, когда-нибудь у нас появятся режиссеры, отличающие ночную дискотеку от правительственного приема или просто юбилейного торжества, на котором собрались люди, жаждущие чисто человеческого общения. Сегодня это не нужно и преждевременно.

Да, есть жанр стадионного концерта некой рок-группы, собирающей мощную толпу своих поклонников. Здесь могут быть и закономерный экстаз, и повышенная звуковая мощность. Люди за этим пришли. Но существуют и другие формы коллективного веселого времяпрепровождения, которые, очевидно, в ближайшие пять—десять лет будут полностью игнорироваться. Это — реальность, от которой не следует отмахиваться. Преуспевает сегодня тот, кто действует по строго очерченным правилам: максимум звука, минимум пауз и обязательные постоянные оглушительные выкрики: «Ваши аплодисменты!»

Это правильно, потому что зрители, задавленные количеством оглушительных, но малоизвестных Эльвир, Бжезик, Наташ и Алексов не испытывают, как правило, желания встречать подозрительные физиономии с обязательной радостью.

Почему я все-таки убежден, что такого рода инструктор массовых торжеств и юбилеев ни в коем случае не должен умнеть? Вредно. Допустим, он догадается, что мы уже давно живем в сверхплотной и совершенно новой информационной среде, что пространство, окружающее нас, до предела забито музыкой или тем, что ее заменяет. Постепенное и достаточно ощутимое заполнение звуковоспроизводящей аппаратурой нашего домашнего быта делает возможность устроить себя на дому сокрушительную квадрофонию пополам с «дэлби»-системой. Появились даже отдельные лица, пользующиеся при этом наушниками, что, в целом, пока не характерно, но уже случается. В этом случае грохот среднестатистической малоизвестной и даже якобы популярной группы воспринимается как принудительно вводимое лекарство. Как искусственное кормление. Я дома могу услышать то же самое, тем более, что вся наша ведущая «попса» поет под фонограммы. От того, что у меня есть дома именно эти записи, ничем не отличающиеся от того, что в меня принудительно вбивают, мое зрительское подсознание начинает сперва испытывать незаметный дискомфорт, а потом, наконец, и сознание, если оно не деформируется и остается при мне.

Дело непростое. Описываемый мною полурежиссер-полуинструктор может, в конце концов, при всей его ущербности, догадаться, что такого рода сокрушительный звуковой фон пригоден лишь для дискотеки или ночного бара. Но если он, не дай ему Бог, задумается о зрительском настроении, о предполагаемом настрое людей, собирающихся для других целей, — он запутается в многообразии развлекательных жанров, он деградирует — сначала профессионально, а потом, от отчаяния, и человечески. Опасно.

Когда-то, в старину, считалось, что актер не должен быть умным. Ум ему помешает на сцене. Наблюдения давно ушедших лет не всегда были глупыми, хотя время постепенно внесло свои коррективы в актерскую профессию. Современный талантливый актер серьезного психологического театра просто не имеет права быть дураком, в противном случае его актерская карьера не состоится. Поэтому тем ценнее профессия режиссера праздничных концертов и массовых торжеств — она по-своему уникальна именно при непременной интеллектуальной заниженности.

186

Индустрия досуга, которая имеет устойчивую тенденцию к развитию, так же, как шоу и ресторанный бизнес, вскоре потребует своих профессионалов. Время недоумков будет постепенно заканчиваться, хотя и нескоро. В XXI столетии придет день, когда вновь открывающемуся ресторану или центру досуга, теряющему своих клиентов, потребуется человек с режиссерскими наклонностями, ибо одной сменой шеф-повара дела не наладишь. Появятся профессионалы с тонкой интуицией, могущие просчитать, из каких составных элементов может сложиться престиж развлекательного заведения, более того, их интеллект приблизится к пониманию такой сложной и чисто режиссерской категории, как «атмосфера» дома, куда людей потянут сознательные и подсознательные рефлексы. Это случится нескоро, но случится. Поэтому тем, кто сегодня организует монтаж сокрушительных по звуку фонограмм с оглушительными выкриками «Встречайте!», «Ваши аплодисменты!», с бесконечным «принудительным» кормлением винегретом из мелькающих стертых лиц, однообразных приплясываний и требований к залу учинять в честь исполнителя «скандёж», — время этих одуряющих празднеств вне дискотек и специальных ночных баров может вскоре катастрофически закончиться. И мой чисто профессиональный совет: пока существует потребность в такого рода «постановщиках» — не жалеть времени, работать на износ, не покладая рук, зарабатывать, не щадя усилий, пользоваться ситуацией, пока не пришли умные люди, пока не утвердила себя на этом поприще генерация иной культуры.

Сегодня звуковой уровень и качество музыки на торжестве, где люди жаждут веселого и непринужденного общения, — мощный и чрезвычайно точный индикатор культурного статуса тех стен, где они собрались.

Есть несколько весьма надежных тестов, по которым нетрудно определить культуру заведения, где вы оказались. Зайдите, прошу прощения, в общественный санузел. Внимательно оглядите это пространство, и вам совершенно необязательно ревизовать остальные помещения — абсолютно точно станет ясен культурный уровень заведения и отчасти заполняющий его контингент сотрудников.

Музыкальная звуковая среда — не менее точный индикатор. Если в лифте отеля еле слышно звучит классическая музыка — вы в пятизвездочном отеле. Если в этом же отеле раздельно существуют бар, рестораны и дискотека — это только подтвердит его пятизвездочность. Если при этом еще существуют небольшие залы для разных целей и без всякого принудительного музыкального давления на мозги — оцените это пространство с закономерной благосклонностью, — оно наше будущее.

КОМПЛЕКС ХЛЕСТАКОВА

Я уже не раз твердил, что уважающий себя режиссер должен быть до некоторой степени, как говорят в народе, «с тараканами». Если тараканов у тебя нет, их надо придумать и развести, желательно в ограниченном количестве, иначе в наш век поголовного роста всевозможных психических аномалий у художника может действительно «поехать крыша» и он, попросту говоря, от навалившихся на него эмоций сойдет с ума.

Режиссера, и это, наверное, закономерно, так и тянет натянуть на себя личину фигуры такой творчески-самобытной, от которой другим нормальным людям желательно вздрагивать. В крайнем случае, озадачиваться. Тут важен, конечно, и внешний облик, вернее, столь желанный для нашего времени имидж. Если ты останешься без имиджа — ничего хорошего не жди.

Знаменитый режиссер середины XX века Борис Иванович Равенских, человек очень неглупый и талантливый, иногда прилюдно начинал «гонять с себя чертей». Черти у него всегда были небольшими, сродни насекомым, и он их быстро-быстро гонял с пиджака в течение одной-двух минут эдакими короткими, очень целеустремленными встряхивающими движениями. Конечно, над этим подсмеивались, но где-то тайно и подсознательно после чертей начинали уважать чуть больше.

Главный патриарх нашей режиссуры Андрей Александрович Гончаров время от времени, правда только в рабочее время, начинал до ужаса громко кричать, причем не всегда испуганные люди догадывались, по какой причине. Безадресный крик иногда хорош тем, что относится как бы сразу ко всем без исключения и как бы повышает общий тонус творческого поиска. Конечно, такой целенаправленный звуковой вал иногда сбивал новичка с ног или погружал в состояние прострации. Но если новичок выходил из него психически полноценным, выдерживал, — то постепенно с годами начинал привыкать к громкому ужасу гончаровских претензий, и когда патриарх смолкал, чтобы отдохнуть, отдельные артисты испытывали даже некоторый дискомфорт. Чего-то им недоставало.

Валентин Николаевич Плучек любил «отключать» репетирующих с ним артистов стихами. Он, как правило без видимой причины, вдруг начинал, закрыв глаза, заполнять репетиционную комнату поэтическими сочинениями Мандельштама, Блока, Маяковского. (Такое количество стихов запомнил еще из наших современников один только Михаил Козаков, тоже личность с отклонениями, — но я его в репетициях не видел, хотя подозреваю: есть на что посмотреть.) Плучек, подняв голову к потолку, часто впадал в своеобразный транс, как бы оставаясь с артистами и одновременно улетая от них как можно дальше, особенно от некоторых, вроде Александра Ширвиндта, которого никакой транс никогда не брал. Пространные поэтические потоки, что приятно, были продолжительными, и артисты постепенно понимали свою не то чтобы ущербность, но их посещало своего рода смятение по поводу невозможности самим запомнить сразу столько поэтических шедевров. Коллектив как бы необязательно содрогался, как во время оглушительных криков Гончарова, но погружался в дебри экзистенциализма, грустно затихал, подавленный таким количеством неизвестно по какому случаю взявшейся поэзии.

Первое время после назначения главным режиссером я тоже пытался подражать Плучеку, но кроме как «У лукоморья дуб зеленый...» мне ничего в голову не приходило. Поэтому я, очень скоро покончив с котом, стал начинать репетиции с веселых глупостей, литературная ценность которых всегда оставляла желать лучшего. Я потом даже приносил свои извинения. Не потому, что такой хороший, а потому, что тоже странный. Впрочем, я рано заговорил о себе — в нашей режиссуре есть люди с более любопытным имиджем, я уж не говорю про талант.

Из суперодаренных людей, конечно, очень интересен Анатолий Васильев. Что до бьющих по глазам странностей — то здесь он явный лидер. Поначалу мастер добивался стойкого ощущения у присутствующих, что он только что выпущен по амнистии и пока перебивается кое-как с хлеба на квас — поэтому и чемодан украден, есть только котомка. При таком положении казенный бушлат и косынка, конечно, были всегда закономерны и органичны. Но поскольку мастер уже долго на свободе, некоторые едва заметные изменения в свой облик он, по-моему, внес. Естественно, не порывая с общим выстраданным образом измученного художника.

Можно и дальше перечислять странности других режиссеров, но полезнее докопаться здесь до первоосновы, первопричины, возможно, на подсознательном уровне.

Во-первых, если режиссер хочет добиться успеха, он должен пусть очень незаметно и деликатно, но все же соблюдать известную дистанцию между собой и актерским коллективом. Во-вторых, не хочется забираться в очень далекие воспоминания, но во времена частых актерских собраний даже уверенный в себе режиссер подчас чувствовал себя лосем, окруженным волчьей стаей. Каждый волк в отдельности, может быть, даже и симпатизировал лосю, тем более если лось старался выглядеть добрым оленем, и даже не хотел его грызть в одиночестве, но товарищеское окружение с поднятыми загривками подвигало даже самую миролюбивую особь в гущу корпоративно-клановых интересов. Здесь неожиданные упреждающие удары вместе с коллективным рыком носили бессознательно-оправданный характер. А потом, если честно, режиссер, даже если он семи пядей во лбу, не может в чем-то не оступиться, где-то не напортачить и, главное, никогда не умеет, гад, разделить все роли поровну, признать талант всех собравшихся артистов одинаковым. Почему одним дают хорошие роли — другим нет? Вот он, вечный вопрос, который, как «быть или не быть», мучит поколения артистов.

Как его ни люби, как ни лелей, артист все равно, иной раз подсознательно, подозревает режиссера в скрытой зловредности. Режиссер тоже подозревает своего любимца не в самых добрых намерениях. Потом, конечно, может наступать общее отрезвление и четкое понимание, что мы уже друг без друга не можем, что, несмотря на травмированную нервную систему актера и такую же издерганную психику режиссера, мы искренне любим друг друга. Примерно как в том анекдоте про жену: «Ты не хотел с ней развестись?» — «Развестись — нет. Убить — да».

Помимо демонстративных странностей у режиссеров еще сплошь и рядом встречаются сугубо внутренние аномалии. Самому их определить легче, потому что со стороны на себя посмотреть сложно, а заглянуть внутрь иногда удается.

Я, когда стал заглядывать, обнаружил, что мое стой-

Театр должен быть большим…

…и зрителей должно быть много

Спектакли,
сыгравшие особую роль
в истории Ленкома

«Юнона и Авось»

«Тиль»

Первая опера А.Рыбникова
на нашей сцене —
«Звезда и смерть Хоакина Мурьеты»

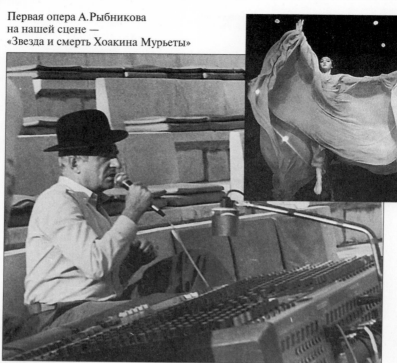

Сцены из «музычно-драматичных» спектаклей

«Парень из нашего города»

«Поминальная
молитва»

«Безумный день,
или Женитьба
Фигаро»

Сподвижник, соавтор, друг,
очень талантливый человек —
режиссер-сценограф Олег Шейнцис...

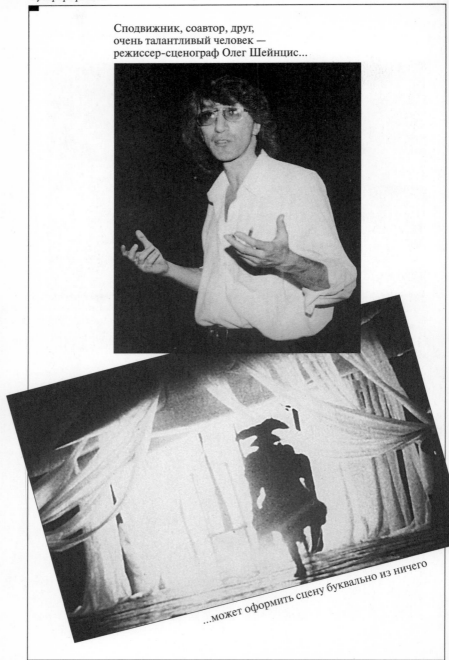

...может оформить сцену буквально из ничего

Сперва декорации в Ленкоме носили аскетический характер...

...но со временем возникли сценографические
фантасмагории — такие, как в спектакле «Мудрец»

Инна Чурикова в «Чайке»

Дмитрий Певцов (сидит)
в «Женитьбе Фигаро»

Леонид Броневой (в центре) в «Королевских играх»

Великий
русский артист
Евгений Павлович
Леонов
в «Поминальной
молитве»

Продолжательница знаменитой актерской династии
Мария Миронова и сам Армен Джигарханян
в спектакле «Варвар и еретик»

После постановки «Школы для эмигрантов» по пьесе Д.Липскерова
фотохудожник В.Плотников собрал всех причастных
к этому спектаклю в сверхплотную композицию

Точно не помню что, но, по-моему,
говорю артистам что-то разумное, доброе, вечное

Иногда необходимо беседовать с ведущими артистами театра.
После таких бесед заметно умнеешь

С Олегом Янковским...

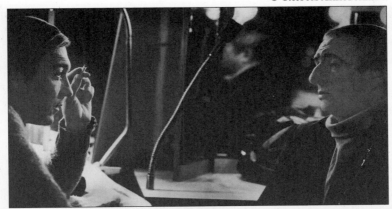

...и Николаем Караченцовым

Герои моего первого телевизионного действа

Андрей Миронов —
Остап Бендер...

...и Анатолий Папанов —
Киса Воробьянинов

«Моя беда в том,
что я ужасно правдив».
Александр Абдулов
и Евгения Симонова
в «Обыкновенном чуде»

«Если говорить
о моих охотничьих
приключениях,
то самым
любопытным
я все-таки считаю
охоту на оленя...»
Олег Янковский
в фильме
«Тот самый
Мюнхгаузен»

В «Формуле любви» снимались дорогие мне люди —
Татьяна Ивановна Пельтцер и дочь Александра

«Время спрессовывается в голове, и года
наслаиваются друг на друга» в «Доме,
который построил Свифт»

«Знаешь, почему бургомистр притворяется душевнобольным? Чтобы скрыть, что у него вовсе нет души».
О.Янковский, А.Абдулов, А.Збруев в фильме «Убить дракона»

«Умоляю вас — не гневайтесь, я предан вам всей душой. Но ведь я архивариус».
Вячеслав Тихонов на съемках фильма «Убить дракона»

кое влечение к самоиронии привело, в конце концов, к шизоидному комплексу, который я стал именовать «комплексом Хлестакова». То есть время от времени я стал упорно попадать в ситуации, когда начинал ощущать себя гоголевским Хлестаковым из «Ревизора» и меня, естественно, начинал душить смех. Поскольку смех возникал чаще всего в одиночестве и я его стеснялся — он подлым образом усиливался. Если я смеялся долго и один — проклятый смех переходил в затяжной хохот, и тут же становилось не до смеха.

Первые такие приступы стали проявляться, когда вместо ВТО образовался СТД СССР (Союз театральных деятелей). Я был избран секретарем и как бы участвовал в руководстве театральной деятельностью огромного государства. Конечно, государство отлично справлялось без меня, точнее, мое присутствие в секретариате никак не сказывалось на качестве выпускаемых спектаклей, будь то Узбекистан или Молдавия. Но вот здесь-то работники СТД СССР и начали одолевать меня разного рода государственными проблемами, с которыми я не знал, что делать. Например:

— Марк Анатольевич, — говорила милая дама, заглянувшая ко мне с кипой бумаг. — Как вы думаете, стоит нам пойти навстречу Туркмении и временно перечислить часть фондов, предназначенных Азербайджану, через средства, выделенные Армении?

— Хорошо бы... как следует подумать, — предлагал я, уже чувствуя себя отчасти Хлестаковым.

— Мы уже подумали. Валерий Иванович согласен.

Я начинал ерзать на стуле и клевать носом, поскольку смех грозил прорваться наружу, что для секретаря СТД в этой ситуации было нежелательным.

— Так-с, — говорил я со всей доступной мне важностью и делал паузу, чтобы уважали. — Давайте пойдем навстречу Туркмении. Все-таки — Туркмения, — добавлял я уже из последних сил.

Набрав определенный авторитет на своих перестроечных публикациях и выступлениях, я иногда приглашался в Белый дом, где проходили разного рода дискуссии и заседания.

Однажды в дыму небольшой прокуренной комнаты, куда меня неожиданно пригласили, Григорий Явлинский весело пожаловался:

— Сколько же здесь хронофагов!

— А кто это?

— Разве вы не знаете? Это фантастические существа, пожирающие время.

— А вот и Марк Анатольевич подошел! — сказал Геннадий Бурбулис. — Очень вовремя.

Он взял меня под руку и увлек в дальний, самый прокуренный угол, понизил голос:

— Как вы думаете, нам стоит отделяться?

— От кого? — спросил я дрожащим шепотом, потому что «Хлестаков» уже начал во мне вздрагивать.

— От остального Союза. Хорошо ли России отделиться?

— Хорошее дело, — согласился я скрипучим голосом, чтобы Бурбулис не заметил моей непроизвольно поехавшей в сторону физиономии. — Но надо бы еще подумать, может быть...

— Так мы уже тут несколько часов думаем.

— Тогда отделяйтесь, — разрешил я, потупясь и упорно отворачиваясь, чтобы Бурбулис не заметил моего глупого смеха по такому важному вопросу.

Однако мой общественно-политический апогей наступил в беседе по междугороднему телефону. Выше этого разговора, мне думается, я не поднимался никогда прежде и уже не поднимусь. Это была вершина и главная удача «Хлестакова».

— Марк Анатольевич, — прокричала мне телефонная трубка, — это из новосибирского Академгородка. Помните, вы у нас выступали с творческой встречей?

— Как же этого не запомнить! — удивился я радостным голосом.

— Марк Анатольевич, у нас в Каспии сухогруз увели! Азербайджанцы!

— Что же делать?

— Надо вернуть. Он сейчас в Баку. Но захвачен был в нейтральных водах.

— Кто его теперь вернет?

— Вы, Марк Анатольевич! Не имеют же права азербайджанцы захватывать сухогрузы в нейтральных водах!

— В нейтральных водах захватывать сухогрузы нельзя, — сказал я строго.

Конечно, я потом попытался объяснить, что, несмотря на отдельные удачи в режиссуре и даже в публицистике, новосибирский сухогруз из Баку я вряд ли выведу обратно в нейтральные воды. Но меня продолжали уговаривать, что это мое прямое дело.

Что для режиссера в каждый данный момент является делом прямым, а что сомнительным — пожалуй, один из самых непростых вопросов в нашей профессии.

«МИСТИФИКАЦИЯ»

Пьесу сочинила очень странная, непредсказуемая и талантливая писательница Нина Садур. Ее «Чудная баба» вместе с «Панночкой» обошли, по-моему, все российские театры. Это какая-то российская разновидность абсурдистского театра с особой, очень терпкой словесностью и тайной.

Наш режиссер Юрий Аркадьевич Махаев, который очень неравнодушен к новой драматургии, увлек Нину Николаевну на подвиг. Она написала под его персональным нажимом вольную версию гоголевских «Мертвых душ» и назвала ее «Брат Чичиков». Мне название не понравилось. Сказать, что сам умею их хорошо придумывать, — не могу. Всегда раньше проверял названия на покойном Экимяне, спрашивал:

— Рафик Гарегинович, пойдете смотреть, если я где-нибудь поставлю «Ревизора»?

— Нет, похвалю, но смотреть не пойду.

— А если поставлю «Птицы» Аристофана?

— На «Птиц» пойду.

Название, конечно, для афиши замечательное. Но «Птиц» я никогда не поставлю. Не могу прочесть. Несколько раз пробовал, начинал ожесточенно зачитывать, но силы кончались. Сдавался.

Чтение пьес с годами становится мукой. Если после десятой страницы не захватывает — дальше пытка или формальный просмотр текста для очистки совести.

Стыдно в этом признаваться, но выглядеть лучше, чем есть на самом деле, не хочется. Когда захочется, скажу, что «Красное колесо» Солженицына прочитал от корки до корки, все тома, не пропуская ни строчки, с самым пристальным вниманием и интересом.

Но «Орестею» Еврепида читал с нескрываемой мукой и только из уважения к В.И.Шадрину. Появился такой театральный проект, связанный с Петером Штайном, и робкое предположение, что известный немецкий режиссер, возможно, будет готов поставить этот спектакль на сцене Ленкома.

Очень хотелось заполучить в афишу имя Петера Штайна, вели с ним долгие разговоры, много выпили водки, но дела не получилось. Рассказывать почему и как — неинтересно. Важнее сказать не о Еврепиде, а о Валерии Ивановиче Шадрине, который в последние годы уходящего тысячелетия стал в нашем и даже общепланетарном театральном деле весьма примечательной фигурой.

На развалинах бывшего СТД СССР он вместе с Кириллом Лавровым создал Конфедерацию Театральных союзов СНГ, на базе которой, как оргсекретарь, стал проявлять неправдоподобную изобретательность. На пустом месте. Как директор — возглавил организацию первых международных чеховских фестивалей, и как продюсер — самостоятельные театральные проекты. Несмотря на частое употребление ненормативной лексики, вошел в плотные контакты с ведущими деятелями зарубежного театра и международной театральной Олимпиады. По-моему, с помощью этой же лексики убедил Ю.М.Лужкова провести третью Олимпиаду в Москве. Соорудил при Конфедерации ресторан с чудовищным дизайном и выучил английский язык. Не доктор словесности — но завинчивает длинные фразы.

Строго и объективно рассуждая, Шадрин — ошибка системы, грубый просчет советской власти и Ленинского комсомола. Его долго готовили в руководящих комсомольских сферах к будущему государственному служению. Обмануло социальное обаяние. На вид вроде бы из народа и с огоньком. Но подробно о его огоньках рассказывать не буду — близкий мне и любимый человек.

Он был последним начальником Главного управления культуры исполкома Моссовета, с суровыми цензурными полномочиями, назначенный туда где-то году в восемьдесят третьем, чтобы навести, наконец, порядок в культуре, в театре, в музыке, в живописи и прибрать всех потенциальных диссидентов к ногтю. Вместо ожидаемых идеологических зверств Валерий Иванович решил вернуть лишенного гражданства Ю.П.Любимова к работе в Театре на Таганке и помочь ему ставить спектакли, которые он пожелает, и так, как он сам того захочет. Высокое начальство не просто изумилось, оно растерялось и некоторое время пребывало в шоке. За это время Шадрин успел выпустить на публику наш многострадальный спектакль «Три девушки в голубом» Л.Петрушевской, который предыдущее начальство мурыжило четыре года. Пользуясь возникшей растерянностью, разрешил не только «Трех девушек», но и все остальное, что ему попалось под руку. Меня определил как хорошего режиссера и сразу же велел ехать с ним в Болгарию ставить заключительный концерт, посвященный дням Москвы в Софии. Интересно, что в это время такие артисты, как Семен Фарада и Геннадий Хазанов, были «невыездными», и Валерий Иванович с комсомольским огоньком выбивал из КГБ загранпаспорта с разрешением на их выезд. Художником концерта был назначен, естественно, Олег Шейнцис. Он-то как раз только что стал «выездным», а до этого его за границу тоже не выпускали. В райкоме партии на комиссии старых большевиков будущий народный художник России, опозорив Ленком, не смог ответить на вопрос, когда родился Фидель Кастро. А оттого, что он сказал большевикам: зато я знаю, когда родился Тутанхамон, — райком справедливо и надолго обиделся.

Помню потрясение, которое испытал еще очень скромный Геннадий Викторович Хазанов, когда его нога ступила на заграничную землю. Он в это никогда не верил. Помню так же изумление — перед концертом, на торжественном заседании — болгарского партийного руководства, когда из-под «братского руководства» пошел дым. Мы с Олегом Шейнцисом не представляли, как это можно поставить что-нибудь без дыма, и под сценой преждевременно сработала дымовая установка.

Концерт в Софии — малоизвестная страница в моем творчестве. Совершенно неизученная. Я так и не увлекся жанром торжественных заключительных концертов, меня больше увлек Шадрин. В нем проснулась купеческая удаль с комсомольским размахом. Во мне он нашел тогда своего верного товарища и единомышленника. Ему очень захотелось показать всю силу и международный масштаб своих комсомольских связей. Хорошо помню, как в фешенебельном, по тому времени, загородном ресторане он одобрительно похлопывал по плечам руководство братского комсомола и вел себя как знаток болгарского молодежного движения. С именами могу напутать, но разговор за столом помню хорошо:

— А где теперь Данко? — спрашивал Валерий Иванович.

— Только что арестован, — отвечали болгарские товарищи.

— Почему не вижу Петро?

— Как раз под следствием.

— А как дела у Василя?

— Сейчас в тюрьме, но скоро освободится.

— А этот...

— Этот нескоро.

Мистификация!

Назвать спектакль «Мистификацией» предложил я, естественно — оставив в афише «Брата Чичикова», но изначальный творческий импульс пришел, повторяю, от Ю.А.Махаева.

Он вообще подарил театру несколько первоклассных идей. Привел в театр из ГИТИСа в 1974 году студента четвертого курса Сашу Абдулова, который сразу и блистательно сыграл лейтенанта Плужникова в сценической версии повести Б.Васильева «В списках не значился» и после этого сразу стал Александром Гавриловичем. Применяя физическую силу, Махаев заставил меня полюбить Л.Петрушевскую и ее пьесу «Три девушки в голубом». Предварительно, на студенческой сцене, опробовал жанровый принцип нашего будущего спектакля «Безумный день, или Женитьба Фигаро». Своевременно привлек к работе над «Королевскими играми» неизвестного Ленкому композитора Шандора Каллоша.

Махаев долго носился с пьесой «Брат Чичиков», уговаривая меня не бояться Гоголя. Но Н.Садур не выдержала и передала право первой постановки в Саратовский театр. Психологически мне стало сразу легче, и я попросил Махаева начать предварительную работу со студентами режиссерской мастерской (где мы вместе преподаем), используя репетиционный зал Ленкома и детали старых декораций.

Когда вместе с Татьяной Витольдовной Ахрамковой, моей сподвижницей по РАТИ и талантливым режиссером Московского театра имени Маяковского, мы посмотрели отдельные сцены, поставленные со студентами и некоторыми молодыми артистами Ленкома в небольшом репетиционном зале, мы испытали гамму сложных чувств. Мелькали остроумные детали, забавные мизансцены, вообще присутствовала некоторая молодежная милота. Но в душу вползал и осязаемый страх — как, не имея в составе хорошо известных мастеров, перенести эту, мягко говоря экспериментальную, пьесу на большую сцену и удержать внимание зрителей?

При обсуждении показанных эскизных набросков в узком педагогическом кругу, вероятно от некоторого внутреннего отчаяния, я высказал не очень внятную идею. Высказал ее спонтанно и легкомысленно. Представить себе все увиденное на большой сцене Ленкома очень трудно, интерес к молодежному спектаклю, изъятому из комнаты, может рухнуть со страшной силой. Вот если бы, например, молодые актеры в статусе бесправных изгоев использовали сценическую площадку в то время, когда там наши монтировщики занимались бы осмысленным делом — ставили, скажем, оформление спектакля «Юнона и Авось», — может быть, и получилось бы зрелище.

В конечном счете, когда мы взялись за серьезную разработку легкомысленной идеи, дело, в конце концов, получилось. Но строительство этого спектакля казалось временами мучительным и бесперспективным. Я что-то выстраивал и тут же останавливался в кисло-сладких раздумьях. Хотя вскоре стал понимать, что в моих усталых мозгах родилось все же несколько новых и весьма ценных идей.

Во-первых, изначально удалось убедить Садур, что в «Мертвых душах» должна присутствовать женщина.

Почему творение великого Гоголя не имеет мировой сценической истории? Нет женщины. Одно кувшинное рыло — Чичиков постоянно общается с другими кувшинными рылами. Это уже во-вторых. Чичиков должен иметь иной энергетический и человеческий потенциал, чем Ноздрев, Собакевич, Коробочка и прочие монстры. Реальная работа по установке декораций другого спектакля также обрела вскоре закономерное и выразительное качество.

Мы живем в мире, где вокруг нас постоянно разворачивается какая-то, то ли созидательная, то ли разрушительная, то ли благая, то ли опасная деятельность. Деятельность многообразная, не имеющая ни конца, ни начала, глобальная, превращающая каждого из нас — и очень часто — в маленькую, никому не нужную букашку, некую частицу сумасшедшего преобразования, не имеющую представления ни о самом преобразовании, ни о его целях.

Чичиков должен быть вполне нормальным, узнаваемым человеком. На его месте могут оказаться многие. В конце концов все мы мечтаем заработать. Провести точную границу, как *хорошо* зарабатывать деньги для семьи, а как зарабатывать *плохо,* — в реальной жизни совсем непросто. Да, наш герой выбрал путь, который опустошит его душу, изуродует сознание, приведет к гибели, но все это должно происходить непосредственно на наших глазах, все это должно иметь прямое касательство к нам, если и не к нам — то к хорошо знакомым людям. Заинтересовать зрителя сегодня могут на сцене вовсе не причинно-следственные связи некоторых событий, а только причинно-следственные изменения в мозгах действующих героев. В том числе, кстати, и изменения беспричинные. Точнее — такие, механизм которых сразу не опознаешь. Оставим сюжетные перипетии для последователей Агаты Кристи. Информацией о даже самых интересных историях мы сегодня сыты по горло. Лучше, полезнее предположить, что все драматургические сюжеты как таковые зрители знают изначально целиком и полностью.

Вот примерно так мы договорились с Дмитрием Певцовым, сменившим в этой роли Романа Самгина, у которого вскоре появилась интересная режиссерская работа.

Итак, Певцов-Чичиков становился центром сценического мироздания. Весь остальной осмысленный и бессмысленный хаос атаковывал его естество и страждущую душу.

О бессмысленности я говорю еще и потому, что монтаж декораций в театре — это технологически сложный процесс, где логика чисто инженерного свойства не может быть сразу понятна и прогнозируема. Потом, после долгой сценографически осмысленной работы, мы рискнули перейти и к сценографическим акциям достаточно бессмысленным, но эмоционально выразительным, опять-таки атакующим дрогнувшие мозги Чичикова. Процессы в окружающей нас Вселенной вовсе не всегда радуют нас своей логикой и гармонией. Человеческая психика далеко не всегда «держит удар», который получает от природной или очеловеченной стихии.

Я никогда не видел прежде в театре, чтобы монтировщики декораций играли столь важную роль в спектакле. Понимаю, что все уже открыто и опробовано. Может быть, кто-то где-то когда-то уже пробовал нечто подобное, но для нас это было очень интересное и очень новое взаимодействие технических работников с актерами. Два взаимопроникающих, одновременно существующих и редко замечающих друг друга мира. Если угодно, материализация некоторых научных и философских гипотез.

И все-таки самым интересным и новым было для меня другое: неожиданные результаты, полученные нами в репетиционном зале, когда спектакль был уже вчерне выстроен.

Не скрою, мы очень многое досочинили, додумали из того, что в пьесе было только заявлено пунктиром. Не остановились и перед сочинением совершенно новых диалогов. Спектакль шел в Саратове по пьесе Н.Садур, а мы сочиняли свою самостоятельную версию этой же пьесы. Мы сочиняли мистификацию. И совесть наша была чиста. Мистификаторы, как правило, не раскаиваются.

Репетиционный период в репзале я затянул не случайно. Именно там появились потом актерские открытия, которые не удалось полностью перенести на большую сцену. Не потому, что это невозможно в принципе, а просто еще не научились. Думаю, в XXI веке научимся.

Часто в своей репетиционной практике в рабочем порядке я временно подменяю предлагаемые обстоятельства, то есть прошу смоделировать процесс, который потом будет изменен, на более верный и осмысленный. Но предварительно такая подмена помогает артистам нащупать новые возможности своей биологии, а режиссеру стимулировать постановочную фантазию.

Выстраивая серию комедийных ситуаций, мы постепенно все вместе обнаружили, что в некоторых случаях откровенно дилетантское, непрофессиональное актерское существование может оборачиваться гомерически смешным эффектом. (Напоминаю, что речь пока о работе в репетиционном зале.)

Косясь в сторону некоторых гостей, посещавших наши репетиции, я очень часто предлагал:

— Сыграйте, пожалуйста, так, чтобы все подумали:

зачем же еще и этого-то артиста держат? Почему не увольняют? Это же не артист.

Наташу Щукину просил примерно так:

— Попробуйте, чтобы все поняли, что театральную школу девочка не закончила — выгнали. Девочка совсем никудышная. Общаться с артистами боится, все слова выговорить не может, сколько ни старается, но выступать на сцене ей очень хочется.

Или так:

— Скажите, мол, спасибо, что вышел. Организм изношенный, психика с аномалиями, сам процесс мышления увлекает, но пока не получается. Да и вряд ли получится. Если очень хотите — ждите.

В подобных режимах актерского (точнее — биологического) существования лидерство сразу же захватил Виктор Викторович Раков в роли Манилова. На некоторых репетициях он придавал своему естеству редкую ущербную разбалансированность. Нервная система была не просто испорчена, но подлым образом пошаливала вместе с ней и психика, пластика страдала такими аномалиями, что было всегда неизвестно, куда его поведет, куда закинет. Понятно, что нужно лечиться, а не выступать не сцене.

Борис Николаевич Чунаев на репетициях в репзале буквально укладывал людей на пол, вызывая такой хохот, который сам по себе — уже аномалия. Ему удавалось моделировать окончательное угасание интеллекта. Разум его на глазах сворачивался и приходил в упадок. Пошаливало зрение и голосовые связки. Говорил очень громко от общей и окончательной бездарности.

Я просил, чтобы у всех присутствующих возникал один главный вопрос:

— За какие такие заслуги этот человек мог получить звание заслуженного артиста?

На этих странных и очень веселых репетициях я понял, что высокопрофессиональный актер с хорошо тренированной психикой может привести себя в явно непрофессиональное состояние: ничего не наигрывая, не притворяясь, с предельной искренностью сыграть плохо, потом — очень плохо, потом — еще хуже, а потом — уже так безнадежно, что это супердурное актерское качество превращалось на глазах в эстетическую категорию. Как в живописи.

Есть картины, которые как бы плохо нарисованы, а являют собой явную художественную ценность. Особенно это качество просматривается в нарочито примитивных, наивных изображениях.

В актерском деле подобное качество пока, по большому счету, еще недостижимо. Мы его, как я уже обещал, окончательно освоим в следующем тысячелетии. В «Мистификации» нам удалось воспользоваться этой новой комедийной эстетикой частично. Небольшими дозами. Скажем, то, как показывает С.Ю.Степанченко в роли Собакевича своего отца, глядящего на медведя, — смешная глупость. Но изящная. Кстати, смешная, потому что, по-моему, формальная. Мы привыкли, что слово «формально» в нашей профессии дурное. На самом деле — не всегда так. В жизни мы далеко не все делаем глубоко и серьезно. И далеко не всегда подключаем к делу весь организм. На некоторые слова и действия иногда не хватает ни сил, ни желания.

Иногда специально воздействуем на партнера с нарочитым «формализмом». Вообще, нехватка сил и общая измученность от нездорового образа жизни — при настойчивом желании, чтобы зрители за это дорого платили — по-моему, не слишком складно сформулированная, но действенная предпосылка для создания новой комедийной ситуации. Когда-нибудь получится. Создадим.

Анализируя работу над спектаклем «Мистификация», ловлю себя на мыслях о весьма банальной, но весьма существенной закономерности: когда в театре созидается талантливый или, скажем скромнее, культурно выстроенный спектакль — параллельно с этим процессом происходит рост и становление актерских имен. Разумеется — если режиссеру отпущено Богом умение создавать сочный, зигзагообразный действенный пунктир для развития сценического образа. Иногда, чтобы превратиться в мастера, вовсе необязательно играть центральную роль и постоянно маячить на сцене — иногда достаточно появиться в добротно выстроенном эпизоде, выразительно и разнообразно просуществовать в спектакле недолгое время и обрести солидный запас мастерства, усилить свою биологическую заразительность, артистизм и прочие актерские достоинства.

В «Мистификации» временами очень интересно, а временами великолепно существует человек замечательной актерской одаренности — Дмитрий Певцов. Здесь же очень выразительно дебютировала Анна Большова в роли Панночки — это, по существу, центральная женская роль. Помимо Большовой и Певцова, весьма яркий вклад в общее дело внесли исполнители фактически эпизодических ролей: Сергей Чонишвили, Татьяна Кравченко, Сергей Степанченко, Людмила Артемьева, Иван Агапов, Александр Сирин, Игорь Фокин, Павел Капитонов.

Наверное, особую радость у зрителей и артистов Ленкома вызвала все-таки удача Чонишвили в роли Ноздрева. Подозреваю, что помимо чисто актерских достоинств — необыкновенного юмора и азарта — имела значение и другая трудно формулируемая особенность актера Чонишвили — его любит зритель и любит коллектив театра. Не стоит подозревать меня в сползании к субъективизму пополам с режиссерским дилетантизмом. На самом деле я касаюсь весьма непростой категории нашего театрального бытия. Чтобы исследовать эту особенность актера и основные ее составляющие, требуются зоркий глаз и незаурядные аналитические способности. Не отрицая в своем режиссерском арсенале и того и другого, я все-таки постараюсь не углубляться в эту очень сложную, но бесконечно важную для театра проблему: за что любят актера. Разумеется, не только на сцене. Речь, вероятно, пойдет прежде всего о некоторых чисто человеческих кондициях, и здесь не хочется вползти в менторский тон. Ограничусь констатацией факта: любовь или подчеркнуто доброжелательное расположение театрального коллектива к какому-либо актеру или работнику художественно-постановочной части — величина существенная для прочного, надежного, уверенного существования репертуарного театра.

Понимаю, что у больших мастеров и гениев характер может быть не сахарным. Знаю примеры. И все-таки если гений переходит некую «красную черту», границу, за которой от него стараются держаться подальше или, в крайнем случае, демонстрировать подчеркнутый нейтралитет — начинается медленное, иногда незаметное на первый взгляд разрушение и самого гения, и, что самое печальное, хрупкого театрального организма. Он и так, в основном, стремится к распаду: в театре слишком много скрытых профессиональных заболеваний, и когда они становятся очевидными — движение к творческому краху неизбежно.

ПАРИЖСКИЙ ПОТОК СОЗНАНИЯ

Когда-то в ленинградском ТЮЗе я видел замечательную сценическую версию «Трех мушкетеров». Году эдак в 1960-м или около того д'Артаньян, ринувшись из Парижа за подвесками французской королевы, отважно пересекал Ла-Манш и, ступив на английскую землю, блаженно улыбался. Он набирал воздух полной грудью, разводил руками и, закрыв глаза от счастья, произносил, покачиваясь в экстазе: «За-гра-а-ни-ца-а-а!..»

Первые поездки советских туристов в Париж, как правило, напоминали мне этот протяжный бессмысленно-счастливый вопль. Однако исключительно вопль внутренний и неслышный. В отличие от д'Артаньяна, советский человек внешне придавал своим чертам меланхолический серьез и полнейшее равнодушие. Наши люди были разбиты на пятерки. В каждой пятерке был старший. А над всей туристической группой находился бдительный соглядатай из грозного заведения.

Когда я стал «выездным», а стал я им далеко не сразу... более того, однажды с Александром Ширвиндтом, уже сдавши по пяти рублей на сувениры, предназначавшиеся французским товарищам, я вместе с моим коллегой по Театру сатиры был «завернут» перед самым выездом на аэродром. Так вот, «выездным» в капстраны (государства, не входящие в Варшавский блок) я стал только после моего назначения главным режиссером нынешнего Ленкома и обстоятельной беседы в здании ЦК КПСС на Старой площади.

Первое впечатление сумасшедшего праздника: автобус со спецтургруппой театральных работников, медленно плывущий по Елисейским Полям среди ослепительных, вихреобразных, танцующих ночных огней и голос Ив Монтана, доносящийся из автобусного динамика.

Сейчас, придирчиво осматривая похожее освещение Тверской улицы в Москве — с многочисленными и весьма затейливыми подсветами, я очень часто вспоминаю те, самые первые огни великого города — недосягаемого мира, счастливого, красочного призрака, который потрясал душу, но при этом, элегантно улыбаясь, забивал в голову гвозди тоски, сомнения и вселенского пессимизма.

Первые контакты нормальных советских людей с заграницей в конце пятидесятых — начале шестидесятых очень часто оказывали неблагоприятное воздействие на психику представителей развитого социализма, вплоть до актов опасных и явно угрожающих психическому здоровью. Жестоким испытанием являлось как посещение супермаркетов с неправдоподобным выбором колбасных изделий, не говоря обо всех других, так и нежелательное для сердечно-сосудистой системы знакомство с универмагами. Учитывая сумму валюты, выдаваемой на карманные расходы, все вышеперечисленные ужасы по степени воздействия на организм неискушенного советского туриста могли бы быть приравнены лишь к изощренным средневековым пыткам. Умные люди из КГБ хорошо понимали это и в интересах сохранения психического здоровья и общей уравновешенности наших граждан старались, чтобы их первые зарубежные поездки приходились на соцстраны, где не было такого количества колбасы, плащей «болонья», нейлоновых шуб и джинсов.

Иногда, однако, случались ошибки, которые приводили к тяжелым гуманитарным катастрофам индивидуального характера. Так, в спецгруппу, сформированную на базе Ленкома, однажды угодила работница нашего театра, которая прежде не была ни в Монголии, ни в Болгарии. Вместе с группой она сразу, впервые в жизни, поехала в Австрию. Я не принимал участия в поездке, но те, кто там был, рассказывали потом страшное. По прибытии в Вену молодая дама, работница художественно-постановочной части, засмотрела известный фильм «Эммануэль», произвела индивидуальный осмотр центральных венских магазинов и некоторых ресторанов. Говорят, выпила даже пива. Поздним вечером она обошла некоторые номера в гостинице, где наши товарищи стругали московскую колбасу и с помощью кипятильников готовили супы из кубиков для бульона. Говорят, своими ночными визитами она потревожила не всех, а только тех, кого по-настоящему любила. Предложение к товарищам по работе было доверительным и кратким: «Давайте застрелимся».

В первую ночь к этому предложению коллектив не отнесся с должным вниманием и глубоко ошибся. На следующий день в автобусе, индивидуально беседуя с близкими и уважаемыми людьми, опечаленная, но уверенная в своей правоте ленкомовка стала выдвигать ряд убедительных аргументов в пользу своего предложения. К концу дня коллектив потерял интерес к достопримечательностям Австрии. Отказ от коллективного ухода из жизни вынудил нашу подругу с огорчением и публично заявить о своем разочаровании в товарищах по театру, а также в некоторых коллегах из Театра сатиры, к которым наша бывшая коллега также подходила сначала с осторожным предложением «Давайте застрелимся», а потом — с убедительным требованием.

Правда, некоторые ленкомовцы сперва все-таки мучались в сомнениях: уж не притворяется ли подруга, не разыгрывает ли жестоко своих товарищей? Некоторые даже пытались ее урезонить. Но после того, как она в автобусе сказала моей жене: «А ты вообще молчи, говно!» — Зиновий Высоковский, работавший тогда в Театре сатиры, справедливо рассудил: «Если она так говорит жене главного режиссера — значит, точно сошла с ума».

На третий день руководитель группы, ведущий артист нашего театра, осознав безрезультатность контраргументов по поводу поступающих к нему предложений, был вынужден позвонить в советское консульство одного из австрийских городов. Его выслушали опытные и умные люди. Они не впервые сталкивались с подобными нестандартными ситуациями и хорошо знали все допустимые аномалии, возникающие у советских людей от потери сознания в продуктовом магазине (кстати, случаи имели достаточное распространение) до попытки попросить в полиции политического убежища. Об этом было известно нашему ведущему артисту, часто выезжавшему за рубеж, но то, что на предложение «Давайте застрелимся» работники консульства отреагируют спокойно — этого наш артист никак не ожидал. Его успокоили, попросили описать приметы ленкомовки и сообщили, что завтра возле спецтургруппы появится работник консульства, специализирующийся именно на такого рода ситуациях.

Утром следующего дня коллектив спецтуристов заметил красивого, хорошо одетого молодого мужчину с рассеянным взглядом разочаровавшегося в жизни человека. Он как-то вяло приблизился к экскурсии и, не обращая внимания на увлеченного гида, повествующего об архитектурных особенностях постройки XVII века, остановился возле нашей подруги.

Стоящие рядом артисты не слышали всего разговора, но первые небрежные фразы были все-таки зафиксированы:

— Что ты делаешь здесь с этими жлобами?.. Поедем вдвоем... Я не буду показывать тебе этот хлам, я покажу другое...

Спецтургруппа почувствовала дискомфорт за обедом. Люди замолчали и, подавленные происходящим, опустили глаза. Все хорошо знали, что за человек приехал из консульства и зачем.

Подруга вышла к накрытым столикам счастливая, в своем самом нарядном платье, к еде не притронулась:

— Друзья! — сказала она голосом счастливой принцессы. — Я пришла проститься с вами, я уезжаю навсегда... Прощайте, друзья!..

«Принц» в сногсшибательном костюме стоял, прислонясь к косяку двери, и смотрел поверх голов куда-то вдаль.

Он сделал ей укол в самолете, потом в «Шереметьево-2» прислонил к стенке, дал понюхать нашатырю и, позвонив родителям, попросил забрать ее с территории аэропорта. Разумеется, он не стал дожидаться их приезда и растворился в вечности.

Потрясенный тем, что никто не подумал о ее лечении и, не скрою, особенно тем, что она вернулась в театр к исполнению своих служебных обязанностей, ошеломленный, что дирекция не нашла никаких правовых причин для каких-либо собственных действий в психиатрической сфере, я, на свою беду, заглянул еще и в зрительный зал, где как раз заканчивался спектакль «Иванов».

После финальной мизансцены должен был медленно закрыться занавес, но в этот вечер закрылась только одна его половина.

Моей ярости не было предела, я ринулся за кулисы, чтобы высказать людям, отвечающим за исправность занавеса, самые грозные, жестокие слова, на какие только был способен. И сразу же встретил ее, закрывающую занавес, с приветливой печальной улыбкой. Она приблизилась ко мне нежно, понимая мои чувства. Она сказала мне с тихой надеждой:

— Марк Анатольевич, давайте застрелимся.

Поскольку наша подруга уже давно не работает в Ленкоме, я могу спокойно описать этот памятный фрагмент, выхваченный из потока сознания, хотя поток этот безграничен и вмещает в себя множество событий, связанных с первыми гастролями московских артистов за рубежом.

Это гремучая смесь, вызывающая попеременно смех и слезы. Так называемый «Железный занавес» и полнейший произвол власти, конечно же, деформировали наш быт и сознание, изуродовали в пятидесятые — семидесятые годы психику даже самым уравновешенным людям.

Знаменитый импресарио Пол Юрок, вывозя Большой театр за границу, вскоре заметил, что, несмотря на приличные гонорары, многие балерины падают на сцене в голодные обмороки. Молодым женщинам хотелось купить для себя и своих близких модную одежду и парфюмерию, которых не было тогда в Москве, они отчаянно экономили на питании, ибо основную часть гонорара у них удерживали наши посольские работники, оставляя артистам гроши на карманные расходы. То же самое, кстати, проделывали они и с работниками Ленкома, когда Пьер Карден впервые пригласил наш театр в Париж.

Чтобы тратить за рубежом эту мизерную карманную валюту на покупку одежды или техники, все мы шли на чудовищные ухищрения. Отдельные умельцы варили супы в раковинах, чередуя счастливые дни с рыбными, когда в питание шел только частик в томате.

Однажды на итальянской границе Театр сатиры был на редкость приветливо встречен местной таможней, где всего лишь на выборку было предложено открыть один-единственный обыкновенный чемодан. Но, во-первых, никто из коллектива не признался, чей это чемодан, а во-вторых, когда удивленные этим обстоятельством таможенники все-таки открыли его — из чемодана, спружинив, вылетели плотно забитые туда батоны хлеба. Все итальянские таможенники испытали крайнее изумление и дружно обступили диковинный чемодан. Они видели практически все — как в Италию ввозили оружие, наркотики, взрывчатку, но чтобы в таком количестве завозили хлеб... этого не видели даже самые пожилые и многоопытные.

Конечно, соответствующие органы и руководство Министерством культуры делали все, чтобы отговорить творческую интеллигенцию завозить в развитые страны московские продукты. Помню, как перед выездом в Болгарию коллектив артистов Театра сатиры, в котором я имел честь находиться вместе с кипятильником, был приглашен к замминистра культуры В.Ф.Кухарскому. Пожилой человек, опасно волнуясь, рассказал, как переживают болгарские братья, когда по возвращении со спектакля, во всех номерах гостиницы одновременно включаются кипятильники. Один из его помощников проинформировал даже, что софийская гостиница, готовая гостеприимно распахнуть перед нами двери, не рас-

215

считана на столь мощное энергоснабжение. Уже были печальные случаи, когда после знакомства с советским искусством все здание целиком и прилегающие кварталы оставались без света. На что, помнится, Анатолий Дмитриевич Папанов тихо спросил: «А какое же там напряжение?» Вопрос был актуальным, поскольку коллектив то попадал в отели с напряжением 220 вольт, то нарывался на 120.

Кухарский, помню, справедливо содрогаясь от возмущения, сообщил нам доверительно, как перед нами одну из братских стран посетила группа ведущих деятелей советской музыки и какой ущерб престижу государства нанесли наши замечательные композиторы. «Некоторые, — сообщил замминистра, борясь с волнением, — даже додумались до того, что жарили яичницу... между двумя утюгами».

Эта полезная информация была, помнится, встречена одобрительным гулом, и многие артисты даже взялись за блокнотики, чтобы не забыть об утюгах.

Конечно, с годами соприкосновения с зарубежным бытом постепенно лишались прежней остроты, но первые, самые давние контакты, например с Парижем, носили экстравагантный характер.

В числе послевоенных первопроходцев Париж в пятидесятые годы посетили Московский Академический театр имени Вахтангова и Московский театр сатиры.

Вахтанговцы рассказывали, что их настолько взнервили перед отъездом инструкциями о провокациях, подвохах и уговорах остаться в Париже, предав Родину, что коллектив уезжал даже в несколько подавленном состоянии. «Действовать будут изощренно, — предупреждали работники КГБ, — на русском языке».

В.Г.Шлезингер и В.А.Этуш рассказывали мне о своем первом посещении Лувра, где они с радостью заметили двух родных костюмерш, искренне любовавшихся искусством позднего Ренессанса.

— А вот и наши! — с гордостью сказал Шлезингер, приблизившись к людям, с которыми проработал не один десяток лет.

Однако, заслышав рядом с собой самое страшное — русскую речь, «наши» издали очень громкий вопль ужаса и бросились по музею с непривычным для этих мест визгом.

Особый случай, негласно вошедший в историю советского театра, случился с парторгом Московского театра сатиры Г.Ивановым. Театр приехал в Париж, когда я был еще студентом и не имел к театру никакого отношения. Но даже спустя годы старожилы наперебой рассказывали, как их поселили в очень скверной гостинице — в районе Пляс Пигаль — с очень низкими потолками, особенно в санузлах. Именно это обстоятельство, возможно, сыграло свою роковую роль в поведении парторга, когда он, вошедши в санузел, увидел впервые в жизни диковинную вещь — биде. Такое разнообразие в зарубежных возможностях взволновало парторга, и он решил... как бы это помягче выразиться... справить туда большую нужду. Последствия были непредсказуемыми. Резким движением парторг до упора открыл краник — ударил непривычно сильный напор воды — и содержимое биде прилипло к металлическому потолку. Испуг был настолько велик, что артист, оставив открытой дверь в коридор, встал на стул и сувенирной ложкой стал соскребать с потолка следы преступления. Именно в этот момент в его номер заглянул Анатолий Дмитриевич Папанов, который, подивившись случившемуся, спросил голосом волка: «Жора! Как тебе это удалось?»

Мой парижский поток сознания ведет себя непредсказуемо, потому что, кроме того, что непроизвольно

вылилось сейчас на бумагу, есть в нем по своим вкусо-
вым и смысловым параметрам, безусловно, нечто более
ценное, значимое для театра и моих режиссерских
странствий.

За несколько лет до появления в Париже московского
Ленкома со спектаклем «Юнона и Авось» поэт Андрей
Вознесенский посетил кладбище американского города
Сан-Франциско, где ему была показана одна из местных
достопримечательностей — могила Кончи Марии де ля
Консепсьон, дочери первого губернатора Сан-Франциско Хосе Дарио Аргуэльо. Конча Мария, ставшая первой
монахиней Калифорнии, была обручена в 1806 году с
русским мореплавателем и дипломатом Николаем Пет-
ровичем Резановым, приплывшим в начале прошлого
столетия к берегам Америки. Русский мореплаватель
стремился установить с тогдашними испанскими поселенцами тесные торговые и экономические связи, необ-
ходимые ему прежде всего для поддержания Российско-
Американской торговой компании, обосновавшейся на
Аляске и прилегающих к ней островах. Испанское правительство чинило всяческие препятствия намерению
России обосноваться в Калифорнии в качестве ее торгового партнера, однако Резанов, обладавший незауряд-
ным дипломатическим талантом, сумел склонить на
свою сторону губернатора, и совместными их усилиями
была положена основа первым экономическим и культурным контактам России и Америки. Очевидно, не
последнюю роль в этом деле сыграла шестнадцатилет-
няя дочь губернатора Кончитта (Конча Мария де ля
Консепсьон), первая красавица Калифорнии, полюбив-
шая сорокалетнего русского дипломата и обручившаяся
с ним перед его возвращением на родину. Резанов обещал вернуться через год. Он вознамерился добыть в
Санкт-Петербурге разрешение на брак с красавицей ка-

толичкой, но, будучи человеком увлекающимся и азартным, ринулся налегке через заснеженные сибирские просторы, загоняя лошадей, торопливо переправляясь прямо в седле через студеные сибирские реки. Несмотря на все старания, он не сумел добраться до Санкт-Петербурга, тяжело заболел в пути и умер в 1807 году в Красноярске. Естественно, что могилу офицера Резанова в Красноярске сровняли с землей. Как сказал об этом поэт Вознесенский:

> Авантюра не удалась.
> За попытку — спасибо.

Кончитта далеко не сразу узнала о гибели своего возлюбленного. Шли годы, а она продолжала жить надеждой на его возвращение. Доходившим до нее слухам она не верила, а точные документальные подтверждения смерти Николая Резанова достигли Калифорнии лишь через тридцать пять лет, в 1841 году. Убедившись, наконец, в смерти своего русского жениха, Кончитта взяла обет молчания на оставшиеся годы и стала первой монахиней в американской Калифорнии.

«Кончитта ждала Резанова тридцать пять лет», — говорим мы в нашем спектакле. Стараемся говорить просто, по протоколу, но в зрительном зале наступает пауза, своеобразный шок, замешательство. Глупость это, блажь, неразумное, нерациональное по всем статьям упрямство — или возвышенный и редкостный человеческий подвиг?

Задача непростая. Конечно, с точки зрения здравого смысла — глупость. В наш век бесчисленных сексуальных допусков и отчаянного усиления потребительских инстинктов такой поступок молодой женщины может вызвать разве что сожаление или даже показаться смешным. Мы поначалу, кстати, и пытаемся осмеять это сумасбродное поведение невесты нашего далекого земляка. Артисты Александр Абдулов (первый исполнитель роли Фернандо Лопеса), а теперь Виктор Раков, произносящие историческую справку о дальнейшей судьбе Кончитты, так прямо и смеются по этому поводу, потом вместе с залом думают, а потом, опечалившись, тихо говорят, обернувшись к Кончитте: «Спасибо...» Тут наступает какая-то особая тишина, иногда звучат аплодисменты, но всегда недружные, что интересно, многим аплодировать здесь не хочется, и никакого единого эмоционального поля в зале не возникает. Зритель как бы сбит с толку, что в современном театральном искусстве бывает редко. Это место в спектакле мне нравится больше других.

История Кончитты и Резанова красива и удивительна. Может быть, Александр Грин слышал о ней, когда писал свои «Алые паруса»? Кто знает? Жители западного побережья Америки и Канады сохранили некоторые смутные воспоминания об этом странном событии в истории человеческих отношений. У нас же до Вознесенского о Кончитте знали немногие. О Николае Резанове, конечно, слышали, но тоже в самых общих чертах. Интересной литературы, изданной в России, о Резанове не существует. А он достоин этого.

Будучи мальчишкой, я, помнится, увлекался толстой книгой Николая Чуковского, выпущенной в предвоенные годы в «Детгизе». Книга называлась «Водители фрегатов», и там в описании кругосветного путешествия И.Ф.Крузенштерна рассказывалось немного и о Н.П.Резанове. Книгу эту я очень любил и хорошо запомнил имя отважного русского путешественника и дипломата. Позднее, пользуясь некоторыми зарубежными источниками, я выяснил, что он был незаурядной личностью, обладавшей многими талантами. И смелое путешествие его через несколько океанов носило характер важной политической миссии, как теперь сказали бы — характер мирной инициативы. Резанов мечтал «возвести мост между Америкой и Россией». Он вез в заморские страны коллекции замечательных произведений искусства, был человеком энциклопедических знаний и высокой культуры. Готовясь к дипломатическим контактам с Японией, он составил первый русский «Словарь японского языка», а также «Руководство к познанию японского языка». Во время общения с испанскими поселенцами на западном побережье Америки Резанов вел с ними беседы не через переводчика, как это делается у нас в спектакле, а непосредственно на их родном языке. Он выучил его по дороге в Калифорнию. Я узнал об этом уже после выпуска спектакля из зарубежных изданий, а во время репетиции, похоже, ориентировался на собственные усредненные представления о своих знакомых и себе самом в зарубежных поездках. В который раз пришлось убедиться, что многие наши предшественники обладали, может быть, и меньшими специальными познаниями, но значительно большей культурой. Обидно за себя и радостно за них.

Помимо прочих замечательных качеств у Резанова была еще одна черта, которая меня, как главного режиссера, особенно взволновала. Резанов умел выигрывать безнадежные сражения. Во время длительного плавания команды обоих кораблей, неудовлетворенные руководством Резанова, выказали ему свое неповиновение. Во главе оппозиции стал сам знаменитый капитан И.Ф.Крузенштерн, который в очень жесткой форме публично оспорил верховные полномочия Резанова. К Крузенштерну примкнули все его офицеры, и некоторое время наш герой находился фактически под арестом —

в собственной каюте в полной физической изоляции. То, как он сумел постепенно восстановить равенство сил, а затем добиться капитуляции и извинений со стороны взбунтовавшегося коллектива, — тема особой, актуальной для любого театра пьесы.

Но Андрея Вознесенского интересовали совсем другие события в жизни Резанова, и он сочинил поэму, которую назвал по имени одного из резановских кораблей — «Авось». Столь выразительного и веселого слова нет ни у одного народа, и перевести «авось» на любой европейский язык, в том числе на французский, — сложно. Но, оказывается, все-таки можно. При желании. Я наблюдал, и не раз, как это делали мои товарищи. Руки обычно разбрасывались ими в стороны, плечи резко поднимались, рот беззвучно раскрывался, голова кренилась чуть набок, а по лицу плыла более чем странная улыбка — смесь отчаяния и радости. Есть такая улыбка и в поэме. Есть в музыке. Очень часто возникает она в спектакле. Сочиняя поэму, поэт, конечно, не предполагал, что она явится поводом для более чем странного сценического произведения, именуемого то рок-оперой, то современной оперой, то мюзиклом, то музыкальной комедией, то музыкальной драмой, то просто музыкальным спектаклем.

Кроме моих усредненных представлений о знании иностранных языков нашими предками, я действительно, увы и к сожалению, не мог представить, что тридцатипятилетнее ожидание своего жениха Кончиттой могло произойти «всего лишь» после помолвки — без того, что мы теперь называем бесчисленным количеством понятных и близких нам терминов — от «романтического адюльтера» до «сексуального контакта». Когда я, уже после выпуска спектакля, узнал, что «этого» не было, я, признаться, очень огорчился прежде всего за самого себя. Очевидно, мои представления о великом разнообразии человеческих отношений были сформированы не без участия того пресса, который именуется ныне массовой культурой. Значит, гордиться, что я с высоты своих некоторых культурно-исторических и философских познаний не был задет пошлым молохом среднестатистического кино или чтива, — не стоит. Нет оснований. Поэтому не горжусь. И не хочу скрывать, что история любви Кончитты и Резанова произвела на меня, кроме всех прочих оттенков в чувствах и оценках, еще и отрезвляющее впечатление. Пожалуй, после «Юноны и Авось» я завершил свое формирование личности, относящейся к себе с известной и нескрываемой иронией.

После этого нырка в дебри доступного мне экзистенциализма хочется еще чуть-чуть подышать соленым ветром, который несли с собой красавцы — парусные фрегаты, так жестоко исчезнувшие из нашей жизни, деромантизировав ее столь основательно, что слово «бригантина», например, воспринимается подчас как сгусток необходимых организму поливитаминов.

После успеха нашей первой современной оперы, «Звезда и смерть Хоакины Мурьеты», мы с композитором Алексеем Рыбниковым мучительно искали драматургическую основу для новой работы в этом жанре. Наиболее привлекательным материалом нам стало представляться почему-то «Слово о полку Игореве». Захотелось вселенского размаха. С этой идеей мы и обратились вскоре к нашему талантливому современнику, который, только что получив Государственную премию, находился, как нам казалось (и мы не ошиблись), в расцвете творческих сил. Андрей Андреевич внимательно выслушал наши неуверенные суждения и кисло усмехнулся. Андрей Андреевич задолго до режиссера уже знал, какой спектакль должен родиться на сцене Ленкома. С присущей ему скромностью он подарил нам с Рыбниковым два карманных сборника его стихов, где в числе прочих значилась поэма «Авось».

Первое впечатление от поэмы было не самым обнадеживающим. Поэтов у нас не всегда понимают сразу, иначе бы им слишком хорошо жилось, а у поэтов жизнь должна быть сложной, иначе им не о чем будет писать. До встречи со мной поэт встречался со многими людьми, которые позаботились о том, чтобы ему жилось интересно и было что написать. Думаю, что в свое время Н.С.Хрущев многое сделал, чтобы закалить нервную систему поэта и укрепить его творческую потенцию. На одной из встреч с творческой интеллигенцией руководитель страны очень долго и очень громко учил поэта, как правильно писать стихи, и даже довольно грубо предлагал ему покинуть пределы СССР и не возникать более со своими непонятными творениями перед партией и народом.

Вознесенский сочинил, конечно же, прекрасную поэму. Композиционно она была достаточно рваной, угловатой, какой-то асимметричной, но там были замечательные строки. В поэме содержался в каком-то спрессованном состоянии довольно мощный энергетический заряд. Постепенно ощупывая слова, сочиненные, сконструированные, свинченные и услышанные поэтом, мы с композитором ощутили некое волнение и смутную надежду. Надежда в театре всегда должна быть смутной. Сочинитель никогда заранее не должен быть уверенным в успехе, ибо конечный продукт истинного творческого акта — вещь, не имеющая аналогов в обозримой вселенной. Разумеется, это «программа-максимум». От нее в процессе сочинения можно и нужно несколько попятиться, но хорошо бы чуть-чуть, немножко.

Вознесенский в тесном контакте с театром начал писать пьесу в стихах, и первые же новые стихи стал смело и вдохновенно исследовать за роялем мой второй талантливый современник — композитор Алексей Львович Рыбников. Спектакль вообще сочинялся в основном у рояля на квартире Рыбникова, где меня посещали все самые интересные режиссерские и отчасти драматургические идеи. Работа шла достаточно долго у рояля и необыкновенно быстро на сцене.

Новый музыкальный спектакль явился итогом длительной и многолетней подготовительной работы. Если не считать моих музыкальных опытов на сцене Театра сатиры, то с первых же дней работы в Театре Ленком я во многих своих спектаклях постепенно увеличивал роль и значение музыки. Это была не случайная прихоть — усматриваю здесь объективную закономерность. Объясняю эту закономерность так: музыка и театр — древние стихии, одновременно родившиеся и прошедшие свой исторический путь в тесном и крайне разнообразном единении.

И еще одно, возможно крайне субъективное, ощущение. Может быть, главное. Каждое явление в искусстве, как и в жизни, проходит разные стадии своего земного бытия: зарождение, формирование, воплощение в задуманной сочинителем материи, первый контакт с теми, кому адресовано творение, ряд последующих контактов с новыми поколениями читателей-зрителей, когда ценность творения и его восприятие потомками обязательно видоизменяются. Сочинение возрастает в своей значимости или, наоборот, занимает впоследствии скромное место, а то и угасает. Пушкин при жизни воспринимался даже умнейшими людьми своего времени вне той космической градации, которую поэт начал обретать в момент открытия его московского памятника.

Если резко понизить уровень подобных размышлений, то успех моей давнишней и весьма наивной телевизионной версии «Двенадцати стульев» И.Ильфа и Е.Петрова — это завершающая, то есть музыкальная стадия ее земного существования. Музыка — последняя и прощальная ипостась любой вселенской субстанции. Скрупулезно рассматривать сюжетно-смысловые аспекты «Двенадцати стульев» и заново подключаться к некогда гомерически смешным диалогам сегодня нет смысла. Значительно интереснее, как теперь принято говорить, «сухой остаток». Биографически, в чисто бытовом плане меня уже не интересует Остап Бендер — но! — меня может обрадовать и даже ностальгически очаровать зримый след этого творения в его музыкально-поэтической сути. Он часть нашей истории, что обрела право на свое музыкальное завершение.

Вот почему Остап Бендер Андрея Миронова, сотканный из музыкальной материи Геннадия Гладкова, нанизанный на печальный юмор поэта Юлия Кима, интереснее и живее кинематографической версии Леонида Гайдая. При том, разумеется, что выдающийся комедиограф и прославленный кинематографист Л.Гайдай много выше кинорежиссера М.Захарова.

Есть объекты вселенной, что готовы обрести свою последнюю музыкальную формулу, а есть те, что еще не дозрели до чисто музыкального или поэтического естества.

В 1806 году, когда Резанов достиг берегов Америки, петь о нем самом или просто сочинять музыку о его путешествии было бы рано и даже легкомысленно. Важнее было тщательно описать и запротоколировать сделанное замечательным путешественником и дипломатом. Через сто семьдесят пять лет протокол интересен лишь специалистам — большинству людей важнее и дороже музыка им содеянного.

Я сейчас выдворяю за скобки принцип широко распространенный за рубежом — сборную антрепризу. Тот закон, по которому живет Бродвей. Если, действительно, собрать под одной крышей очень интересных актеров, музыкантов, танцоров, иметь мощный капитал для постановочного оснащения и сильнейшую постановочную группу — в этом случае ни один драматический театр соревноваться с такой музыкально-хореографической антрепризой не в силах. Но реальные условия нашего театрального бытия в 1981 году, когда создавался наш спектакль, да и в более поздние годы говорят о том, что мои размышления на эту тему в условиях российской действительности не лишены здравого смысла.

Если совсем честно, сборную команду мы, конечно, собрать не могли и не хотели, но произвести кое-какие важные акции по укреплению состава, приобретению соответствующей аппаратуры и привлечению к работе над спектаклем специалистов не только из числа штатных сотрудников — все это мы постарались проделать и, как позднее выяснилось, не без успеха.

Карден выступал как независимый от своего правительства меценат, решительно осуществляющий неожиданную для многих французов культурную акцию, не преследуя при этом никаких серьезных финансовых целей. Дорогу в оба конца, гонорар и все расходы по культурной программе нашего пребывания Карден брал на себя. Возместить такие расходы, играя в маленьком театре «Эспас Карден», было невозможно. Очевидно, речь шла о каком-то ином, некоммерческом расчете и ставка делалась не по законам, свойственным обычным зарубежным импресарио. И все-таки думаю, что появление нашего спектакля во Франции нельзя отнести к совершенно бессмысленному делу с точки зрения экономической. Имя Кардена обозначалось на модных предметах мужского туалета, на галстуках и сорочках; в данном случае оно появилось на новом и достаточно оригинальном для Парижа явлении — русской рок-опере. Так определили здесь жанр нашего спектакля, хотя у нас, и прежде всего у самого Рыбникова, существовали серьезные сомнения на этот счет. Скорее всего, наш спектакль — какая-то новая разновидность современной музыкальной драмы, от рок-оперы он все-таки сильно отличается, но слово «опера-рок» само по себе звучное, и на период гастролей мы не возражали против такого наименования.

Карден много выступал по французскому телевидению, называя наш спектакль «посланником мира», несмотря на большое число противников его инициативы. События в Афганистане стали поводом к угрозам, которых он не испугался. Карден высоко оценил идеи, заложенные в сочинении Андрея Вознесенского, был страстным поклонником музыки Алексея Рыбникова, восторженно отзывался о Николае Караченцове, Елене Шаниной, Александре Абдулове, Павле Смеяне и вообще в течение всего нашего пребывания в Париже проявлял большую заботу о нас. Дирекция его театра обязалась взять на себя часть затрат по дополнительному техническому оснащению своей сцены с тем, чтобы на ней сумел расположиться и ожить наш достаточно непростой спектакль, — и французская сторона полностью выполнила все свои обязательства. Конечно, надо отдать должное нашему главному художнику Олегу Шейнцису. Вместе с руководителем постановочной части Александром Ивановым он разработал остроумную систему частичной перестройки нашей декорации, произвел большую, сложную, а главное, незаметную для зрителя работу, в результате которой произошло, с моей точки зрения, весьма поучительное сценографическое чудо: наши декорации выглядели во Франции так, как будто они были рождены именно в театральном зале «Эспас Карден». Конечно, пришлось внедрить много дополнительных постановочных идей, кое-что изменить в мизансценах, выдвинуться в зрительный зал, поглотив два первых ряда, но результат был превосходный — оформление спектакля и архитектурное пространство театра составили одно гармоничное целое.

Мы, что называется, «пристрелялись» к акустике зрительного зала, выверили и уточнили все изменения в мизансценах. Значительно улучшили звучание нашего музыкального ансамбля и вокальной группы, уточнили и несколько видоизменили световую партитуру.

В целях наилучшей подготовки к первым спектаклям мы установили жестокий режим работы и отдыха — единый час прихода в гостиницу, обязательный послеобеденный отдых и воздержание в первые дни от каких-либо прогулок по городу. Ведь мы впервые в жизни начинали работу по бродвейскому принципу: ежевечерний спектакль, один выходной в неделю. Я явился автором «драконовских» мер, понимая, как интересен Париж, как соблазнительны прогулки по его уникальным улицам, сколько физических сил могут они потребовать и какая нервная нагрузка может обрушиться на плечи наших артистов. И главное, сколь печальным образом могут сказаться эти незаметные внешне нагрузки на наших первых спектаклях. Были тому грустные примеры в прошлом. Мои предложения встретили, как мне показалось, полное понимание у коллектива, во всяком случае, коллектив изобразил на своих лицах удовольствие по поводу разного рода ограничений. Главный режиссер иногда встречается с парадоксами актерской логики, хотя ему и не надо слишком обольщаться по поводу бурных изъявлений актерского восторга. В данном случае, однако, мучительно и недоверчиво вглядываясь в лица товарищей, я в конце концов поверил в их искренность. Не поверили некоторые французские журналисты, пристально наблюдавшие за нами. Они восприняли предложенный мною режим работы как неслыханную казарменную строгость и массовое подавление прав человека. Я, как главный «душитель свободы», попытался объяснить работникам прессы, что театр мы драматический, репертуарный и мы ни разу не пробовали играть каждый вечер один и тот же спектакль. Очень скоро я, однако, заметил, что актеры в своем большинстве умело распоряжаются временем, внимательно следят за своим здоровьем, состоянием голосовых связок и вообще демонстрируют во всех сферах жизни и работы надежный профессионализм.

Я помню волнение перед первым спектаклем, знаю, что иногда умею взбодрить коллектив, поднять его нервный тонус, но перед первым парижским спектаклем я, очевидно от волнения, перестарался. Конечно, я вспомнил слова Суворова, которые он всегда произносил перед штурмом неприятельского города, конечно, я громко, одушевляясь, выкрикнул слово «Солдаты!..». Перед нами был действительно чужой город, и я, помнится, воодушевил людей настолько, что не все сумели произнести свой текст. Владимир Ширяев на этом первом спектакле вместо длинного монолога, объясняющего, почему и зачем надо плыть Резанову в Америку, сумел только после некоторого замешательства выкрикнуть: «Плывите, и всё!» Хорошо, что хоть посохом взмахнул — это условный знак для музыкального вступления.

Волнение в тот вечер было всеобщим и чрезмерным. Зрительский прием в конце спектакля был выше всяких ожиданий, но недовольство осталось серьезное, и наутро я назначил общую репетицию. Мы постарались предельно сконцентрировать силы и успокоиться. Не слишком, но до известных пределов. Второй спектакль превосходил первый по всем компонентам. И далее мы обнаружили поразительную вещь, о которой до сих пор не можем забыть: каждый последующий спектакль в Париже был в чем-то лучше предыдущего. Касаюсь сейчас очень непростой темы освоения незнакомого сценического пространства. Я много об этом думаю и, возможно, часто повторяю одну и ту же мысль: проблема вбирает в себя огромное количество факторов — как зримых, так и скрыто воздействующих на подсознание. Задача режиссера — различать не только пространственные факторы, но, обязательно, и чисто психологические.

Мы, дети репертуарного театра, всегда страшились этого бродвейского кошмара: играть каждый день один и тот же спектакль. Мы и не понимали подобного страшного метода и, выезжая на парижские гастроли, не признаваясь себе в том, сильно трусили, вспоминая обо всех наших московских срочных вводах, неожиданных заболеваниях, подворачивающихся ногах и руках, эпидемиях гриппа, растяжениях связок и хрипах в голосовых связках. Но вот оказалось, что при умелой организации дела, при правильном отношении к собственному здоровью, при высоком профессионализме всех и каждого играть в течение длительного времени один и тот же спектакль ежедневно — полезно. Недаром профессиональные хоккеисты считают, что для поддержания хорошей спортивной формы играть надо через день, не реже.

Спектакль «Юнона и Авось» в Париже приобрел не просто так называемый «накат», не просто подобрался по линии общей четкости и ритмичности — спектакль превратился в весьма прочную саморегулирующуюся систему, которая выработала надежный механизм ежедневной корректировки.

Прежде всего разительно улучшилась наша пластика. Хоть мы и объясняли на пресс-конференциях, что труппа у нас постоянная и мы не можем приглашать в наш музыкальный спектакль профессиональных танцоров, — все равно объяснять это каждый раз собравшимся зрителям и просить у них снисхождения в связи с тем, что на сцене драматические артисты, мы, естественно, не могли. Нам оставалось другое — довести нашу хореографию до максимального уровня, на который мы только способны. И мы каждое утро проводили в гостинице обязательные репетиции-разминки.

Мы получили свыше семидесяти публикаций во французской прессе. Случай беспримерный. Работники нашего посольства говорили, что подобное случилось лишь однажды — во время первых послевоенных гастролей Большого театра. Наш спектакль очень удивлял французов, и мы каждый день узнавали о себе много нового. Например, что наш «кордебалет» не уступает нью-йоркскому в знаменитом мюзикле «Кошки». Здесь у нас хватило ума отнестись к этому сообщению с иронией. А вот с тем, что спектакль наш — «ослепительный каскад сценических эффектов, возбуждающей музыки и энергичных танцев. В спектакле есть даже немного эротики», — спорить не хотелось.

Газета «Монд» писала так: «Наиболее интересные моменты — это соединение русской православной литургии, русской традиционной музыки с рок-музыкой.

Первая часть спектакля открывается прологом, где размытые моменты протеста были стерты в адаптации, проверенной Советским посольством в Париже». Впервые в жизни я узрел на страницах западной прессы явную ложь и очень удивился. Мне раньше казалось, что это делается как-то тоньше, не так топорно. Даже огорчился за газету, хотя статья о нас заканчивалась красиво: «Приходишь в восхищение от замечательного ритма действия и от персонажей. Поражаешься красоте картин, обаянию кинематографического письма, близкого к барочному, и волшебству актеров с прекрасными голосами». Газета «Фигаро» отозвалась по поводу нашего спектакля следующим образом: «Не опера, не рок, но замечательная музыкальная комедия, «сделанная в СССР», что уже само по себе достаточно удивительно, в ней нет ничего революционного, но присутствует нервный стиль, неожиданный на Востоке. Мелодии Алексея Рыбникова, такие же обворожительные, как у Бернстайна, исполняются актерами с глухими и захватывающими голосами, прекрасно подзвученными, деформированными, разделенными синтезатором и «камерой эхо». Результат завораживающий, блестящий, прекрасный по своему ритму. Мизансцены Марка Захарова полны инженерной выдумки, красоты света и движения».

Некоторые рецензенты, заметив в глубине сцены мелькающие лопасти, отмечали прекрасную работу электронной установки по синхронному движению дыма, не догадываясь, что клубы дыма отчаянно гнал небольшой фанеркой наш председатель месткома артист Борис Чунаев.

Имя Вознесенского буквально не сходило с газетных страниц. Только два печатных католических органа упомянули про нас с некоторым сарказмом, никак, впрочем, не обосновывая свою позицию, — просто мы им не понравились, и все.

В Париже живет много русских людей. Мы знали об этом и психологически готовили себя к возможным встречам. Пугали нас этими встречами не так, как некогда запугивали вахтанговцев, но все-таки о том, что просьбы о продаже Родины будут поступать в изобилии, — предупреждали. Скажу сразу, что никто нам поменять свое местожительство с российского на французское не предлагал. Секретов о том, как устроено Управление культуры исполкома Моссовета не выведывал. Хотя наш главный сопровождающий из Комитета известную нервозность проявлял и даже незадолго до отъезда показал мне список тех, кто наверняка останется в Париже. Я был абсолютно уверен, что никто своим присутствием Францию не отяготит.

Интересно, что разговор на столь деликатную тему мы вынуждены были провести на расстоянии трехсот метров от гостиницы, в которой жили. Почему? Чтобы враги не могли нас подслушать и запеленговать — примерно так объяснил мне сотрудник КГБ, сопровождавший нас в качестве работника Министерства культуры. Я был категорически не согласен со списком. То, что мы вернемся в том же составе, в каком выехали, — я угадал. Именно угадал, потому что, в конце концов, у людей в силу тех или иных причин могут возникать разные желания. Жизнь показала, что всегда могут найтись лица, которым хочется поработать в США или в Швейцарии, а не в Германии.

Известную нервозность перед нашим отъездом проявлял и посол СССР во Франции Ю.М.Воронцов. После одного из последних спектаклей он вдруг попросил, чтобы весь коллектив собрался отдельно от французов в

234

изолированной комнате. Здесь посол, торжественно поздравив нас с успешным завершением гастролей, почему-то долго говорил о том, что теперь перед нами открыты все континенты и мы наверняка поедем с этим спектаклем по всей планете. Мы, действительно, кое-куда съездили, в том числе в Грецию, США, Германию, Нидерланды, но зачем он так долго об этом говорил? Как режиссер, я догадался сразу. Послу очень не хотелось, чтобы кто-нибудь из ленкомовцев остался у него в Париже. Он знал, что среди плясунов и музыкантов такое случается. Поскольку пресса оценила нас как серьезных деятелей в области музыки, посол, по-моему, решил подстраховаться и переключить наше внимание на другие страны. Он как бы хотел сказать — мол, не торопитесь, ребята, еще успеете, приглядитесь лучше к другим городам Европы. Послу, как мне показалось, не захотелось лишних неприятностей. Нам тоже этого не хотелось. И, вероятно, из уважения ко всем нам никто из ленкомовцев в Париже не задержался.

Задержались ленкомовцы позднее, когда мы гастролировали в Америке — два человека из труппы оставили на мое имя вежливые заявления в день нашего отъезда из Нью-Йорка. К счастью для дирекции, времена изменились, страна начинала жить по цивилизованным законам, и к решению наших артистов все отнеслись спокойно. Скажу сразу, ни у кого из труппы это решение зависти не вызвало — наши бывшие коллеги вписались в чужую страну с очень большим трудом и, разумеется, не в качестве артистов.

Несмотря на героическое возвращение в 1983 году из Парижа в полном составе, у нас началась полоса неприятностей. Соглядатай из грозных органов написал ряд пространных и нелицеприятных отчетов о гражданском, общественном, моральном и другом неблагополучии целого ряда артистов Ленкома, включая его главного режиссера. Об этом мне с печалью поведал директор, и мы оба огорчились, так как театр был приглашен на гастроли в Грецию.

Заполучив список «невыездных» мастеров сцены, я сумел добиться аудиенции у Ф.Д.Бобкова, тогдашнего заместителя Председателя КГБ. Должен признаться и покаяться перед прогрессивной интеллигенцией, что Филипп Денисович Бобков мне понравился. Я встретил очень образованного, умного, незаурядного человека. (Надо сказать, что я встречался с ним дважды, и оба раза надолго оставался под впечатлением этих встреч.) Конечно, я понимаю, что речь может идти о весьма поверхностном ощущении. Готов даже согласиться, что Бобков просто играл со мной. Тем более, как режиссер, я обязан упомянуть о его бесспорной профессиональной и человеческой одаренности.

В беседе с ним я, естественно, старался казаться наивным и даже обаятельным, о чем свидетельствовал, по-моему, его чуть насмешливый глаз, который, впрочем, тут же становился серьезным и доброжелательным.

Я горько пожаловался на жизнь. Да, старый фронтовик, защитник Родины, засунул в штаны сочинения Ахматовой и Мандельштама! Да, в предисловии к стихам были нелестные отзывы о советской власти и коммунистической партии, но когда фронтовик их засовывал в штаны, он еще не читал предисловия!..

Я горько посетовал также и на другие, уже малоизвестные мне претензии к артистам Ленкома и даже трагическим тоном признался, что сам лично ни за что не поеду в Грецию, даже если будут уговаривать.

Бобков отреагировал на мои переживания спокойно и пообещал помочь. Он согласился со мной, что работники КГБ не должны изображать из себя за рубежом искусствоведов или работников Министерства культуры. Это вызывает насмешки у зарубежных коллег. Работники КГБ должны именоваться офицерами охраны и выезжать с театром лишь в том случае, если этого требует обстановка в той стране, где проводятся гастроли.

После этой беседы наши бывшие «невыездные» стали получать один за другим загранпаспорта с визами...

Поток сознания унес меня в сторону КГБ. К Парижу я еще вернусь, а о КГБ твердить слишком часто не хочется. Но раз уже начал — продолжу. Чуть-чуть.

В Грецию с нами поехал другой представитель Комитета, которому, по-моему, было страшно интересно узнать, почему на его коллегу я произвел столь негативное впечатление. Мы с ним много беседовали «за жизнь», я был с ним предельно откровенен во всех своих пристрастиях и антипатиях, и однажды за рюмкой он признался, что не ожидал встретить в моем лице человека достаточно откровенного, открытого и еще какого-то такого, который по праву возглавляет театр. Когда он сказал еще, что и артисты в театре хорошие, я тоже не остался в долгу — выразил удивление, что в КГБ, оказывается, работают иногда вполне приличные и умные люди, но вдобавок встречаются и на редкость обаятельные, такие, как он. Его фамилию я помню, но забыл имя другого, совсем молодого сотрудника КГБ, который где-то в конце 1984 года, при доверительном разговоре в каком-то уличном кафе, рассказал мне почти все, что произойдет с нашей страной в ближайшие годы. Мы выпили совсем немного, но он сказал, что у нас скоро будет многопартийность, коммунисты утеряют безграничную власть и будет введена частная собственность. Этому я в 1984 году не поверил. Но очень скоро понял, что в КГБ работает мощный аналитический аппарат.

Сейчас я, возможно, склонен к некоторому преувеличению и сразу скажу, что это ведомство по существу является чудовищным порождением ленинского феодального тоталитаризма, запятнавшего себя кровавыми злодеяниями, но!.. Сегодня лично мое мнение о силовых государственных структурах претерпело серьезные изменения. Я стал с несравненно большим уважением относиться к профессиональным военным и тем ведомствам, что блюдут защиту государственных интересов внутри страны. Пишу об этом потому, что такое случилось не со мной одним. Возник стойкий общественный дискомфорт от победного шествия по стране криминала и отсутствия современной, оснащенной по последнему слову военной науки и техники мощной боеспособной армии. Я глубоко уважаю, преклоняюсь перед теми, кто во имя целостности государства, его чести и достоинства подвергает свою жизнь смертельному риску в так называемых горячих точках — но все равно отсутствие армии, достойной великого государства, действует угнетающе. Похожие чувства лично я испытываю к тем силовым ведомствам, которые теперь заменяют некогда всесильные КГБ и ГРУ. Конечно, эти две аббревиатуры ассоциируются с трагическими страницами нашей истории, но любое нормальное государство не может существовать без полиции, в том числе тайной. Пока психика человека разумного (Homo sapiens) не изменилась, существование отлаженных силовых ведомств не может быть под сомнением...

Поток сознания тут же подбрасывает в мою голову подлые мысли: не приблизились ли мы вплотную к необратимо разрушительному апогею нашей державной истории? Указанные выше ведомства вместе с мощной армией являлись в свое время весомыми гарантами относительно более высокой внутренней безопасности и внешнего государственного могущества. Конечно, я в достаточной степени упрощаю проблему, не касаясь новых правовых аспектов наших демократических преобразований, но все равно милицию с автоматами и в масках на улицах наших городов мы раньше не видели. Только одним правовым несовершенством отечественного законодательства этого не объяснишь. Профессионалы прежней генерации КГБ ни при каких обстоятельствах (кроме случайных перебежчиков) не купились бы на коррупционные подачки ублюдочных авторитетов и полуолигархов. Киллеры при них не сумели бы выжить и расплодиться.

Возможно, я упрощаю проблему терроризма. Посол во Франции Ю.А.Рыжов, с которым я близко познакомился в бытность свою народным депутатом СССР, позднее, при встрече в Париже уже после 1990 года, сказал мне вдруг неожиданно с печальной улыбкой:

— Вот был феодализм, социализм, капитализм... Знаешь, какая общественная формация грядет им на смену — и не только в России? Криминализм!..

Несмотря на отчасти шутливый характер нашего разговора и подчеркнуто ненаучный характер термина «криминализм» Юрий Алексеевич, как человек умный, осведомленный, с веселым, но глубоко аналитическим складом ума, очевидно, был прав. Информационная цивилизация, в которую все мы угодили в конце столетия — принесла с собой не одни только радости. Но это отдельная большая тема, такая же необъятная, как мечта о мощной профессиональной армии и офицерском корпусе, являющем собой цвет державной элиты. Хочу сказать, что принадлежу к наивным мечтателям, которые хотели бы видеть современный офицерский корпус российской армии не уступающим по интеллигентности, образованию, аристократической привлекательности своим далеким предшественникам — белой гвардии.

Оказалось, что с падением ядерного противостояния двух сверхдержав потребность в людях, умеющих обращаться с оружием и, более того, потребность в самом оружии не приблизилась к нулевой отметке. Даже если бы планету не поразила сегодня оспа мелких, но вредоносных очагов экстремизма пополам с терроризмом — все равно необходимость сильной, вызывающей гордость армии XXI века для страны такого геополитического калибра, как Россия, бесспорна.

Когда я пишу эти строки, то почти физически чувствую смрадную тяжесть чеченской войны и, хуже того, в голову залетают уже совсем «несвоевременные мысли» — так когда-то отозвался о подобных отклонениях в мышлении наш «великий пролетарский писатель».

Мне издавна не дает покоя тоска по профессионализму в любом и каждом деле. «Не должно было быть в Чечне войны!» — мысль более чем банальная, но моя личная боль в другом: «Должна была быть мощная, жестокая и молниеносная полицейская операция». Мне очень стыдно, но я так думаю. И для меня целостность российской державы — не пустой звук. Хуже того, я думаю и о другом.

Оккупация Чехословакии в 1968 году, против которой по-разному протестовала вся интеллигенция России, в том числе и я сам, сегодня пусть самым наивным образом (уже рассказывал) воспринимается мною иначе, чем несколько лет назад. Сегодня я думаю, что события 1968 года есть демонстративный сокрушительный марш высокопрофессиональной армии с наисовременнейшим по тем временам и, более того, непревзойденным оперативным и стратегическим мышлением. Все «блицкриги» по сравнению с этой филигранной операцией — замедленно-топорные мясорубки, включая «Бурю в пустыне», не говоря уже о косовских бомбометаниях НАТО.

Я рискнул упомянуть о невоенной, скорее — о феноменально выполненной полицейской, бескровной акции, не слишком мучаясь угрызениями совести. Почему? Потому что вторжение советской армии 68 года — смертельный приговор «социализму с человеческим лицом». Это убийственное, всемирно-историческое доказательство, что такого лица на базе коммунистической доктрины нет ни в теории, ни в практике. Это широко объявленное завершение коммунистической эры в Европе, и остается только сказать спасибо чешским братьям за этот мужественный вклад в историю мировой цивилизации. Да, именно так я думаю: сказать «спасибо» и одновременно внести операцию по захвату Чехословакии во все военные учебники, что, надеюсь, сделано и без моих советов.

Мой вредоносный поток «заграничного» сознания отнес меня далеко от парижских встреч 1983 года с нашими земляками и их потомками.

Было страшно интересно разговаривать с людьми, говорящими на другом русском языке. Впервые я столкнулся с этим феноменом, общаясь в Париже с господином Домеником, владельцем русского ресторана на Монпарнасе. Он пригласил меня на ужин в свою ресторацию, а потом домой, где показал уникальную коллекцию российского антиквариата.

Наша беседа состояла из красиво выстроенных, сочных и напевных фраз господина Доменика с нестандартными прилагательными и обилием витиеватых деепричастных оборотов, где, независимо от протяженности фразы, падежные окончания изящно выстроенных суждений всегда сходились по законам русской грамматической гармонии и отличались парадоксальной свежестью с хорошо различимым — чисто фонетически —

отличием от моих ответных чириканий. Я с ужасом обнаружил в своей речи нечто воробьиное, скоротечно-торопливое, выплевывание очень коротких предложений, тяготеющих к незавершенности и подлым многоточиям. Музыку — бывшего белоэмигранта я в изобилии посылал фразами-недомерками.

Те же самые чувства некоторой разговорной ущербности я позднее испытал в беседах с графиней М.В.Олсуфьевой. Ее семья владела когда-то особняком на Поварской улице, где располагался долгие годы могучий и единый Союз советских писателей. Графине однажды было разрешено посетить Москву, и она весьма остроумно и изящно рассказывала мне о тех чувствах, которые испытала, узнав, что в ее бывшей детской располагается партком советских писателей. (Сейчас там, по-моему, банкетный зал ресторана.)

Наша встреча произошла не в 1983 году, а чуть позднее, когда я с театральной спецтургруппой посетил Флоренцию. Несмотря на мое чириканье, я чем-то понравился графине, и она рассказала, что, кроме всего прочего, является старостой общины во флорентийской православной церкви, что церковь располагает прекрасной библиотекой и катастрофически уменьшающимся контингентом читателей. Далее, несмотря на поздний вечер, она предложила мне и моим коллегам, приглашенным на ее домашний ужин, посмотреть русский храм на итальянской земле. Моим коллегам предложение не показалось заманчивым, а мне вдруг очень этого захотелось. В результате графиня оказалась за баранкой своего автомобиля, а я ее единственным пассажиром.

Помню печальную русскую церковь в окружении пальм. Это было такое странное и непривычное зрелище, что даже испортилось настроение. Возникло непроизвольное возмущение в связи с итальянскими пальмами и отсутствием берез. Есть у меня такой стойкий рефлекс, а может быть, комплекс: береза — дерево русское. Я, конечно, интернационалист, но если вижу березу за границей, усматриваю в этом непорядок. Не место ей в Европе — должна произрастать в России. В случае если православный храм расположен за российскими пределами — береза имеет право расти рядышком, пожалуйста, но никаких исключений душа не приемлет. Поэтому пальмы, обрамляющие позолоченные церковные маковки, породили тоску и изумление. Я поймал себя на ощущении, что отношусь к русской церкви во Флоренции как к живому существу, вызывающему сострадание.

Графиня отворила кованную дверь, показала иконостас и небольшую комнату, сплошь забитую книгами. Комната напомнила мне пещеру с сокровищами из «Тысячи и одной ночи», только вместо алмазов она сияла именами Бердяева, Флоренского, Соловьева, Ахматовой, Цветаевой, Авторханова, Тэффи, Мережковского... У меня разбежались глаза. Я не предполагал, что очень скоро все это будет издаваться в России и чтение книг великих русских философов, изданных зарубежными издательствами, перестанет считаться преступлением. Со многими произведениями российских эмигрантов я, конечно, был знаком, но дома таких сокровищ у меня не было. Не было в те годы в моей домашней библиотеке ни Ахматовой, ни Мандельштама, ни Цветаевой... Графиня осталась довольна произведенным эффектом и подарила мне неожиданно острое, просто-таки захватывающее дух предложение:

— У нас не осталось больше читателей, — сказала она. — Эти книги теперь никому не нужны из тех людей, кто приходит в наш храм. Вы можете взять с собой столько книг, сколько захотите, правда, с одним условием — вы их не выбросите перед границей и перевезете с собой в Россию. Они — ваши.

На дворе стоял примерно 1984 год, и я храбро воспользовался предложением графини Олсуфьевой. (Храбрость не покидала меня вплоть до пересечения границы в аэропорту Шереметьево-2.)

Пересекать границу с тяжелым чемоданом, набитым книгами не только Ахматовой и Гумилева, но Авторханова, Бердяева и ряда эмигрантов, в том числе философов, принудительно высланных Лениным за пределы советской России, — было крайне небезопасно. Возможно, что это один из весьма смелых поступков в моей жизни, потому что в аэропорту перед получением багажа в душу стал вползать подлый страх. Я начал долгую борьбу за смелый поступок, и борьба шла с переменным успехом, потому что я дважды оборачивался в сторону туалета, расположенного на «нейтральной полосе». Потом понял, что если избавлюсь от книг — перестану себя уважать.

Стараясь не бледнеть перед таможенным досмотром, я приблизился к Олегу Николаевичу Ефремову, которого всегда все узнавали и которому улыбались. Он знал о содержимом моего второго чемодана, ободрил взглядом и старательно улыбнулся таможеннику. Ответная улыбка означала, что чемодан мне тоже открывать не надо.

Конечно, я не предполагал, что «заграничный» поток сознания заставит меня признаться пусть не в серьезном, но преступлении. Впрочем, время оправдало содержимое моего чемодана, и теперь оно не может входить в состав мнимого нарушения некоторых давно устаревших инструкций. Преступление я, как автор, усматриваю в другом — в окончательно разбалансированном сознании. Ведь я взялся было рассказывать о парижских контактах с русскими людьми во время гастролей Ленкома в 1983 году...

После первых же встреч с русскими людьми в Париже мы поняли, что живется им, в общем и целом, несладко. Они тянутся друг к другу, испытывают потребность в постоянном общении, пытаются помогать друг другу и сообща бороться с невзгодами. Русский человек, за очень малым исключением, не может сделать во Франции блестящую карьеру, даже если он там родился, не может занять важного высокооплачиваемого поста, выдвинуться по службе — он постоянно встречает некое и весьма ощутимое противодействие, а временами и достаточно устойчивую неприязнь. Похожая ситуация, кстати, в Англии, во многих других европейских странах, вот разве что в США у эмигрантов жизнь может сложиться удачнее.

Приближение смерти вызывает и обостряет в людях чувство национального самосознания и национальную память. В людях происходит своеобразное очищение, рождается потребность освободиться от суетных комплексов, обрести мир и душевную гармонию с далекой российской землей. В годы, предшествующие нашим гастролям — многие передавали Советскому государству свои архивы, книги, ценные коллекции. Их дети и внуки, казалось бы вопреки утилитарной потребности, сохраняли в своих семьях русский язык, бережно относились к русской словесности и национальным традициям.

В одной доброй русской семье для нас с удовольствием и долго пели подростки, родившиеся в Париже, пели очень складно, преимущественно народные и цыганские романсы. А потом, видно опечалившись некоторой однородности своего репертуара, сказали, что с большим удовольствием разучивают также и наши советские песенные новинки. В подтверждение они тут же дружно запели:

> Капитан, капитан, улыбнитесь,
> Ведь улыбка — это флаг корабля...

С каждым спектаклем на балконе «Эспас Карден» появлялось все больше и больше русских зрителей. Мы знали, что порой наш спектакль может трогать, и даже до слез, но таких зареванных глаз на наших спектаклях я никогда прежде не видел. В сцене прощания Резанова и Кончитты, случалось, некоторые земляки наши, потерявшие свою родину, рыдали навзрыд. Зал был небольшим, он быстро, в иные мгновения взрывоподобным образом, наполнялся взаимными нервными биотоками. Поток актерской энергии воссоединялся с нервной энергетикой зрительного зала, и возникал акт совместного театрального экстаза, взаимного и глубокого контакта на разных уровнях сопереживания.

Мы играли каждый день, но наши парижские спектакли так и не превратились для нас в механическое действо, не обросли чисто техническими имитациями жизненных процессов. Мы ощущали себя представителями русской театральной школы и очень гордились нашим запасом сил и вдохновения.

Во второй половине гастролей у нас появилось много постоянных зрителей, которые смотрели наш спектакль по многу раз, некоторые русские парижане приводили детей, иногда даже пяти-, шестилетних, и объясняли им, что все, что они видят, надо запомнить, потому что на сцене — настоящий русский язык и настоящая русская поэзия.

Однажды после третьего выстрела артиста Павла Смеяна в нашего дирижера Геннадия Трофимова, когда тот, трагически взмахнув руками, грохнулся на авансцене, одна солидная дама вывела из зала плачущего ребенка и строго сказала:

— Да!.. Я не знаю, почему месье постоянно стреляет в дирижера. Я этого не знаю. Но у него отличный русский язык, и мы должны досмотреть это до конца! Найди в себе силы!..

Присутствующий рядом режиссер-постановщик, во-первых, потерял серьез, потому что вдруг осознал, что и сам до конца не очень понимает, зачем месье постоянно стреляет в дирижера, а во-вторых, глядя на своего испуганного и плачущего соплеменника, кажется, впервые пожалел о некотором переизбытке постановочных эффектов. Режиссерам тоже иногда свойственно критическое отношение к собственному творчеству. Хотя такое случается очень редко.

Мы увидели в Париже все то, что уже так хорошо описано другими людьми, побывавшими здесь до нас. В этом смысле ездить в Париж необязательно. Тем не менее мы осмотрели уникальные музеи, соборы, ансамбли Версаля, Шартра, Латинский квартал. Большие бульвары, Монмартр, лавки букинистов... Словом, впечатлений было предостаточно. Карден организовал для нашего коллектива роскошную экскурсию по Сене на плавучем ресторане, потом не раз приглашал всех нас к себе на приемы, в том числе в знаменитый ресторан «Максим», где цены не поддаются осмыслению и повергают нормальных людей в ужас. Ресторан «Максим» с недавних пор принадлежит Кардену. Мы с интересом осматривали его стены — почти музейное достояние. Именно здесь и в Скандинавии рождался архитектурный стиль «югенштиль» («модерн начала века»). Здесь он еще не определился окончательно, это первые, ранние поиски и тем не менее — точка отсчета. Позднее у нас в России этот некогда презираемый аристократичес-кими кругами общества купеческий «моветон» обрел большое великолепие и особый дизайнерский изыск. В таком стиле был построен не только Художественный общедоступный театр в Камергерском переулке, но и дорогое нашему сердцу здание бывшего Купеческого клуба на Малой Дмитровке, где ныне работает москов-ский Ленком.

Как все зарубежные рестораны, «Максим» не совме-щен с дискотекой, и там можно разговаривать. Хорошо слышно друг друга, только иногда в одном зале играет тихая музыка, — и мы пользовались этим обстоятель-ством и разговаривали. Потом, когда из «Максима» ушли все посторонние посетители, знаменитая фран-цузская певица Мирей Матье пела специально для нас. В этот вечер она пришла на наш спектакль со своим красивым седовласым импресарио, несколько напоми-нающим Раймонда Паулса, что усиливало наши симпа-тии и к импресарио и к самой Мирей Матье. Когда на-чались долгие финальные аплодисменты, Мирей Матье поднялась на сцену «Эспас Карден» с огромным буке-том роз и вручила их, к большому удовольствию зала, Елене Шаниной, исполнительнице роли Кончитты. Ныне народная артистка России Елена Шанина имела тогда в Париже большой успех и, что интересно, не-сколько больший, чем у себя дома. Думаю, в Москве ог-ромная популярность Николая Караченцова несколько отвлекает зрителей от других актерских работ, но, воз-можно, это поверхностное суждение и я не учитываю других, неизвестных мне факторов, до которых не дотя-нулся мой режиссерский разум. Но даже когда режис-серский разум и не дотягивается до чего-либо, трениро-вать его надо постоянно.

Седовласый импресарио в этот вечер обратился ко

мне с громогласной просьбой — зачислить в нашу труппу «звезду» французской эстрады Мирей Матье, чтобы приучить ее наконец к порядку и дисциплине. Слухи о том, что у нас очень строгое заведение, быстро разнеслись по Парижу. Мы иногда тоже умеем кое-что преувеличивать.

Конечно, мы осмотрели все достопримечательности Парижа, посетили все музеи, чтобы потом с чистой совестью ходить по магазинам и чувствовать себя интеллектуалами, которые иногда и снисходят до земных, чисто бытовых проблем. Мы побывали также на очень красочных и изобретательно поставленных шоу в эстрадных театрах «Фолибержер», «Мулен Руж», «Лидо». Нас поразило обилие лазеров, дымов, разного рода световых эффектов, богатых костюмов, живых слонов, дрессированных дельфинов, снимающих бюстгальтер с подводной дрессировщицы, прыгающих, на зависть Абдулову, прямо с потолка объятых пламенем каскадеров; обрушилось на нас и множество других ослепительных неожиданностей. Время было такое, что появление в центре хореографического вихря звезды с обнаженной грудью вызывало всеобщее волнение и ощущение того, что не зря съездили в Париж.

Кто бы мог подумать, что очень скоро появление московской топ модели на подиуме в лифчике будет вызывать законное недоумение.

Почти везде в Париже нам было интересно, неинтересно было только в парижских театрах. Раза три-четыре ходили мы смотреть спектакли, которые наши французские друзья рекомендовали посмотреть как наиболее интересные, и каждый раз уходили в антракте. Дружно и не сговариваясь. Правда, в период нашего пребывания во французской столице не работал театр Питера Брука. Это существенно. И досадно.

Во время одного из таких малоудачных театральных походов посетила меня еще одна мысль. На этот раз патриотическая. Спектакль, который имеет неоспоримую ценность в Москве, вовсе не домашняя радость. Такой спектакль — объективная ценность современной театральной культуры. Сказал я об этом товарищам, и товарищи со мной согласились. У нас очень много людей, умеющих работать отлично, на уровне самых высоких мировых стандартов. Надо быть скромным, но не скромничать излишне.

Самое сильное мое впечатление во Франции — это посещение русского православного кладбища Сент-Женевьев-де-Буа, что в тридцати километрах от Парижа.

Сравнительно небольшое пространство, ряды одинаковых прямоугольных плит с крестами или миниатюрными полутораметровыми моделями церковных маковок. Никакого соревнования по части изощренных надгробных монументов. Никаких увесистых калиток и оград с замками, собственными столами и скамейками. Царит дух сурового и вместе с тем заботливого посмертного равенства. В единстве умерших на чужбине заложена какая-то сильная идея, может быть, комплекс идей, в которых не так просто разобраться. Есть и свои немаловажные особенности: просьба не оставлять на могилах живые цветы. Это правило оборачивается в конечном счете определенным устойчивым настроением — на Сент-Женевьев-де-Буа нет никакого мусора, нет увядших, погибших растений, нет забытых, неухоженных могил с сухими стеблями бывших букетов. Не пахнет тленом. Нет кладбищенского сумрака. Деревьев не больше, чем следует. Пространство открыто небу. Очень чисто и опрятно. Настроение поначалу возникает отнюдь не кладбищенское. Но это лишь поначалу. Потом возникает не просто печаль, а нечто большее, что, возможно, не удастся мне до конца передать словами.

Кладбище — место, где на психику человека обрушивается лавина очень сильных и разнородных ощущений. Режиссер, наверное, обязан задумываться обо всем на свете, обязан он размышлять и о тех смутных ощущениях, что возникают порой в недрах его подсознания и незаметно до поры до времени существуют там в процессе какого-то тайного созидания. Что именно созидается в тайниках нашего разума, когда сам разум еще не контролирует подобный процесс, — загадочно. Вопрос притягательный и пока что неразрешимый, так же как не ясен, скажем, механизм сверхскоростных подсчетов астрономических цифр, что демонстрируют нам отдельные феномены на эстраде, не могущие толком объяснить, каким образом они совершают свои подсчеты. Такой подспудный загадочный процесс можно распознать мгновенным озарением, но можно и мучиться бесконечно от долгих и неясных предчувствий. На кладбище Сент-Женевьев-де-Буа я очень скоро начал испытывать нечто подобное.

Теперь все чаще нас посещают мысли о том, в какой сложной многообразной взаимосвязи пребываем мы в своем временном поселении на нашей маленькой планете, как витиевато переплетаются на ней судьбы живых и уже покинувших ее жителей. В каком странном взаимодействии противоборствующих идей и конкретных судеб формируется наша общая земная история. Похоже, что история наша, в том числе новейшая, фиксируется не единожды. Не сразу. Похоже, что формируется она медленно, не одним-единственным поколением очевидцев, формируется неторопливо, поэтапно, усилиями многих умов, и совсем не грех подключать временами к этому глобальному вселенскому осознанию и наш скромный театральный разум. Разум, располагающий собственными исходными данными, не столько фактологического, сколько психологического и эмоционального характера. Но ведь все человеческие эмоции — реальность вполне объективная, точнее — могущая таковой стать. Прозорливый писатель иногда видит дальше и глубже прозорливого историка. А театральный сочинитель во многом сродни ответственному за свои мысли литератору. Будем надеяться, что наши театральные фантазии состоят не из одних только ошибок и малозначащих субъективных эмоций.

Волнение — слово в театральном мире истертое. Чуть что — говорим: «с большим волнением», «извините, я очень волнуюсь» (оставаясь при этом предельно спокойным). Но здесь меня посетило Волнение. Истинное. Отчасти непонятное. И пытаясь его разгадать, не умея это сделать строго и просто, я в предыдущих абзацах своего писания достаточно пометался между космосом, земной историей, вечностью и вселенной. Как ни странно, но все эти высокие категории продолжают вращаться в моем сознании, когда я думаю о русских людях, похороненных под Парижем.

Отдельные участки кладбища — словно застывшая в своем печальном и торжественном безмолвии история Гражданской войны. Та самая история, которую изучал я когда-то в школе. Офицеры старой русской армии лежат во французской земле отдельными «боевыми» соединениями. Впервые в жизни я видел настоящую, не бутафорскую военную символику великой Российской державы. Знаки воинских образований, ведущих свою историю с петровских времен. Есть такие магические словосочетания: «Гвардейский Преображенский полк»... До этого мгновения я видел лишь их кинематографическую имитацию. Теперь передо мной была моя живая история, ставшая мертвой. Неужели это и есть то самое, что принято называть свалкой или кладбищем истории? Поспорить с этим не могу. Но очень хочется.

На некоторых каменных плитах выбиты миниатюрные изображения полосатого военно-морского Андреевского флага. В нашем спектакле Резанов отправляется в «Первое кругосветное путешествие россиян» под этим легендарным полотнищем петровского военного гения. В «Оптимистической трагедии» капитан Беринг говорит нам о том, что его семья служила русскому флоту двести лет. Время, если оно заполнено работой человеческого разума, постепенно стирает не только старые условные, но, по-моему, и безусловные рефлексы. Я помню, с чем в предвоенные годы ассоциировалось у нас слово «офицер». Помню тот шок сорок третьего года, когда на солдатах уже не Красной, а Советской Армии появились первые погоны, на офицерах — золоченные.

И вот теперь на земле Франции передо мной — выбитый на русских военных надгробиях древний византийский орел, двуглавый красавец, с которым связаны не только наши исторические печали, но и слава, дерзость наших предков, наш древний византийский дух «третьего Рима», отвага русских чудо-богатырей.

Я помню, как ноги стали ватными, когда я ощутил эти запахи трагической и родной российской истории. Как захотелось вернуть этих людей если и не к жизни (они уже не смогут в нее вписаться), то хотя бы в родную землю, как вернули в нее совсем недавно прах великого Шаляпина.

Возможно, некоторые из похороненных здесь стреляли в моего отца. Он принимал участие в Гражданской войне. Возможно, в кого-то из этих людей стрелял он. Не исключено, что здесь лежат возможные, потенциальные его убийцы (тогда, возможно, и мои?).

Впрочем, XX век преподнёс нам и более яркие примеры послевоенных эмоций, когда наши фронтовики встречались с бывшими немецкими фронтовиками, воевавшими с ними на одних и тех же участках фронта. Наверное, это источник еще большего волнения, но я этого не знаю — мне хватает своего собственного. Я стою на русском кладбище под Парижем и плачу как дурак по чужим людям, а на могилы близких людей хожу редко и, похоже, не плачу. Я стою на чужой земле, чувствую, что со мной происходит что-то неладное, стою и догадываюсь, что на кладбище Сент-Женевьев-де-Буа во мне пробуждается генетическая память, если таковая вообще существует (что проблематично). С неописуемой скорбью взираю я на могилы моих земляков, сделавших все возможное, чтобы меня не было на свете. Испытывать к ним ненависть или хотя бы неприязнь? Бессмысленно, трудно, незачем. Смерть уравняла возможных противников моего отца, служившего в Рабоче-крестьянской Красной Армии, с теми, кто погиб в братоубийственной бойне. Смерть уравняла российских штабс-капитанов и поручиков с комбригами и комбатами. Пучина многострадальной российской истории отбросила императорскую гвардию от святой русской земли, и белая гвардия спит вечным сном далеко на чужбине.

Но какие красивые люди, какие звучные фамилии и имена! Само упоминание их полного воинского звания или титула — во многом ушедшая от нас музыка русской словесности.

В отдельных воинских захоронениях — пустые, незанятые могилы для тех, кто еще задержался в этом мире, кто доживает свои последние дни. Им оставлены места. И кажется даже — их ждут. Здесь не так плохо, здесь хорошо, но — страшно. Потому что и после смерти эти люди уже не воссоединятся с землею своих предков. Умирая, они это понимали, и некоторые из них выбили на своих могилах слова... Прекрасные, трагические, бьющие наотмашь: «Любите Россию. Нет ничего прекрасней нашей России. Мы это знаем, мы спим на чужбине»; «Русские, любите Россию всегда, какой она была, какая есть и какая будет. Только тогда вы — русские». И еще одно, самое страшное начертание: «Мы погибли за честь и свободу России, в борьбе за ее державность и независимость».

Какой сокрушительный, невосполнимый удар по нашему генофонду! По некоторым подсчетам ученых, сегодня население России, с учетом естественного, но несостоявшегося прироста населения и тех тенденций, что господствовали в начале XX столетия, должно было быть 400 миллионов!

Да, XX век преподносит нам сюрпризы! Как много людей на земном шаре умирало и еще, вероятно, умрет за свободу, и сколь по-разному воплощается ныне на нашей планете это красивое и звучное понятие! Какой многоголовой гидрой оказалось оно! Сколько крови и слез отдано людьми во имя этой человеческой мечты, так часто оказывающейся призраком.

Наши предки, впрочем, давно предупреждали: свобода есть самая тяжкая ноша для человечества.

ПРЕДПОСЛЕДНИЙ ПОТОК СОЗНАНИЯ

Когда-то, в начале своего режиссерского пути, мне казалось, что театр — это сплошное режиссерское искусство. С тех пор произошли большие изменения во мне самом, и прежде всего в нашем искусстве. Возникли насыщение постановочными идеями и устойчивая тяга к сценическим аттракционам, замешанным на психической энергии актера, тяга к поискам одновременно правдивой и психологически изощренной фантастической конструкции. Однако багаж чисто постановочного мастерства не оскудел, наоборот, сегодняшняя сценографическая культура стоит на пороге слияния с режиссурой и совместного открытия новых усложненных пространственных и пластических форм. Это — соединение тончайших биологических процессов в организме актера с полифоническим движением всех остальных сценических выразителей, причудливая система, комбинирующая импровизационные (автономно существующие) блоки театрального процесса с опорными, но тем не менее подвижными конструкциями других сценических построений. Сегодня такую надежно функционирующую систему один человек придумать и «запустить на орбиту» не в силах. Я убежден, в современном искусстве так же, как в науке, происходит все более узкая специализация. Постановщик все чаще мечтает о режиссерской группе, как автор большого кинематографического проекта — о большой компании сценаристов, помощников, разрабатывающих один общий замысел. Сейчас мы слишком много знаем о театре и слишком многого от него хотим. Сегодня тезис «Театр — искусство коллективное» приобретает во многом новое значение. В наше время театральный спектакль, как и фильм большого кинематографа, должен сочиняться группой разнообразных лиц, конгломератом разнородных по своему характеру творцов, не похожих и не повторяющих друг друга, их общая эстетическая платформа также не должна быть закована в жесткие границы — она должна быть подвижной и раскрепощенной. Спектакль должен монтироваться из самостоятельно и талантливо сочиненных блоков, тщательно подгоняемых в единое и живое целое. В какие-то отдельные, очень короткие ключевые моменты такого сочленения нужна одна-единственная воля, один-единственный мозг и одна-единственная (лучше — божественная) интуиция супер-профессионала.

Для меня принципиально важно, затевая в Ленкоме очередной театральный проект, сформировать группу ведущих сочинителей таким образом, чтобы автором произносимого со сцены текста был человек, мало чем уступающий по своей одаренности Вильяму Шекспиру. Таких всего-то несколько человек. Григорий Горин с Андреем Вознесенским, да Нина Садур с Людмилой Петрушевской, ну, может быть, еще Галин Александр с Дмитрием Липскеровым. Обязательно нужен композитор, никак не уступающий Геннадию Гладкову, Алексею Рыбникову, Михаилу Глузу и Сергею Рудницкому. Хотел бы назвать и другие имена, но рука не поднимается — лучших уже не найду. И хорошо бы художника с подобным же пространственным, режиссерским и архитектурным талантом, каким располагает Олег Шейнцис.

Чтобы раздвигал несущие стены, менял этажные перекрытия и закладывал такие сметы расходов, что повергали бы в ужас всех театральных директоров, кроме Марка Варшавера.

Варшавер только прикидывается директором Ленкома, на самом деле он — его художественный и экономический продюсер, который слишком хорошо знает все сферы сценического созидания, прежде всего театральную экономику и все наши допустимые и недопустимые возможности. Поэтому, когда он знакомится с очередным замыслом Шейнциса, всегда слегка бледнеет, иногда зеленеет, но при этом обычно говорит: «Ай-яй-яй, как все-таки интересно!.. Лошадей настоящих в этот раз не будет? Странно. И стены сверлить не будем? Мило. А накладных кругов из бронестекла почему не вижу? И сколько всего оборонных заводов загрузим продукцией? Ни одного? Поразительно! Но пуговички на костюмчике, конечно, положим алмазные?.. Обыкновенные? Потрясающе!»

В серьезном проекте должны участвовать хореографы уровня Владимира Васильева и Алексея Молостова с обязательным подключением в дело педагога-балетмейстера Инны Лещинской, режиссера и моего сопоставщика Юрия Махаева, хормейстера Ирины Мусаэлян, фронтовика, универсального музыканта и организатора всего, что не попадается под руку, Василия Шкиля, кураторов всех событий, акций, репетиций, собраний, совещаний, распределений, увольнений, зачислений и отчислений — Инны Бомко, Юлии Косаревой, Валерия Курицына и Сергея Вольтера. Обязательно нужен человек со стальной волей, производственной хваткой, инженерным разумом и умением увернуться, когда Олег Шейнцис готовится его убивать, — речь о техническом директоре Сергее Никитине и заодно — о группе самородков, народных умельцев, которые самолично обрели уникальные театральные профессии — о Михаиле Гусаке, Елене Пиотровской, Анне Волк, Владимире Черепанове, Юрии Федоркове, Владимире Володине, Марине Жикиной, Владимире Грибкове, Дмитрии Кудряшове, Ренате Ульяновой, Александре Стаханове, Клавдии Строковой, Павле Иванове, Александре Каргине и многих других, включая непременно патологически одаренных музыкантов, которые создали эмоционально-поэтическую и музыкально-песенную основу Ленкома. Это Анатолий Абрамов, Александр Садо, Николай Парфенюк, Геннадий Трофимов, Павел Смеян, Сергей Березкин. Бестактно было бы с моей стороны не принять к сведению выдающуюся роль костюмеров-модельеров-кутюрье: Марии Даниловой и Тамары Мещаниновой.

Наконец хочется признаться в главном. Мое достояние и гордость — звездная плеяда, о которой я уже не раз упоминал, и пока сознание с его потоками окончательно не покинуло меня, обязан еще раз сказать, что нынешние мои притязания на суперпрофессию ничего не стоят без Александра Абдулова, Леонида Броневого, Армена Джигарханяна, Александра Збруева, Юрия Колычева, Николая Караченцова, Олега Янковского, Александра Лазарева, Александры Захаровой, Сергея Степанченко, Татьяны Кравченко, Игоря Фокина, Ивана Агапова, Сергея Чонишвили, Виктора Ракова, Александра Сирина, Людмилы Артемьевой, Наталии Щукиной, многих-многих других и главной актрисы театра — Инны Чуриковой. В русском репертуарном театре должны быть иерархия и субординация, поэтому я обязан запечатлеть в своем и читательском сознании имена совсем молодых, брызжащих талантом и надеждами. Не мыслю своего существования без совсем молодых — Марии Мироновой, Анны Большовой, Сергея Фролова,

Константина Юшкевича, Дмитрия Марьянова, Олеси Железняк. Очень захотелось перечислить всех людей, без которых немыслим театр, созданный в 1973 году (хотя его история начинается с 1927 года), но хочется пощадить терпение читателей и не посвящать его во все без исключения тайные симпатии художественного руководителя.

Раньше мне казалось, что я всегда буду выглядеть человеком не старше сорока, а вот теперь окончательно понял, что пора говорить что-то доброе и вечное. В заключение. Иначе могу не успеть. Пора что-нибудь произнести в адрес молодых, начинающих режиссеров, преисполненных стремлением к постижению основ суперпрофессии. Правда, я в свое время уже делился с ними кое-какими раздумьями и даже давал советы, но давать советы в режиссуре, так же как в любви, — занятие бесперспективное.

Известно, режиссеры — «штучный товар». Режиссерский диплом, так же как диплом, полученный после окончания Литературного института или сценарного факультета ВГИКа, — величина во многом символическая. Это стоит подробно объяснять всем молодым сочинителям. Сразу. Еще до поступления в творческий вуз. Строго рассуждая, выучиться на поэта нельзя. Думаю, на режиссера — тоже. Можно лишь человеку, родившемуся художником, помочь в его становлении. Думается мне, что в этом в значительной степени преуспел режиссерский факультет РАТИ. В свое время (притом время нелегкое) А.А.Гончаров сумел собрать вокруг себя внушительную команду педагогов: А.Эфрос, А.Васильев, П.Фоменко, Л.Хейфец, Б.Голубовский, Т.Ахрамкова, Е.Каменкович, М.Захаров — далеко неполный список его бывших и настоящих сподвижников.

Потребность в новых режиссерских именах у нас обострилась до предела. И надо отдать должное Российской Академии театрального искусства, которая, погрузившись несколько лет назад в беспросветный экономический кризис, проявила в лице ее новых руководителей, и прежде всего ректора С.А.Исаева, фантастическую жизнестойкость, возродив свое былое могущество. Сейчас из стен РАТИ один за другим выходят люди, сразу же становящиеся заметными фигурами в современном театральном процессе.

Я долго размышлял, как постепенно и по возможности красиво подвести к концу свой затянувшийся, крайне непоследовательный и субъективный поток режиссерского сознания. Я не придумал ничего лучше, как вспомнить несколько фраз из своей книги с загадочным названием «Контакты на разных уровнях». «Контакт» для нашей профессии совсем неплохое слово.

В первые дни моих педагогических занятий по режиссуре я пытался «натаскивать» и «начинять» молодые режиссерские головы всей той информацией, которой обладаю. Я пытался научить учеников всему тому, что умею сам. С годами я стал много осторожнее, у меня возникло больше сомнений в отношении моих личных «режиссерских рецептов». Сегодня, не умаляя собственных познаний, пытаюсь поделиться с молодыми коллегами лишь некоторыми технологическими премудростями нашей профессии, некоторыми тактическими тайнами. Я все чаще говорю своим молодым ученикам:

«То, что делаю я, надо знать и уметь, но стремиться надо к иному способу режиссерского мышления, к тем бесценным открытиям, что закрыты пока для нынешних творцов, включая вашего покорного слугу.

Я постараюсь научить вас, мои дорогие друзья, строить «взлетные полосы», я даже научу вас правильно разбегаться по их бетонному покрытию, но как набрать «взлетную скорость» и как «оторваться от земли» — тут я вам не советчик! Я буду радоваться вашему полету, если не буду ощущать формулы вашего дерзания, если ваш свободный и гордый полет станет загадкой для моих усталых режиссерских мозгов!..»

Быть может, этот будущий контакт с учеником, летящим на недосягаемой для меня высоте, и станет самым счастливым в жизни, самым прекрасным мгновением в контактах с мирозданием и самым ощутимым приближением к высотам суперпрофессии.

«ГОРОД МИЛЛИОНЕРОВ» В ТРАГИКОМИЧЕСКОМ ПОТОКЕ СОЗНАНИЯ

«Город миллионеров» появился на сцене московского Ленкома в 2000 году. Идею постановки спектакля по пьесе Эдуарде Де Филиппе «Филумена Мартурано» принес в театр мой ученик по мастерской режиссерского факультета РАТИ Роман Самгин.

Если бы я не был суеверен и не боялся сглазить — наверняка пустился бы в пространные рассуждения о таланте этого человека, который формировался как режиссер на моих глазах и даже с некоторой моей помощью. Впрочем, весьма относительной. Я уже рассуждал в предыдущей главе о закономерностях в становлении творческой личности. Выучиться на сочинителя, как обучаются на бухгалтера или инженера, по моему глубокому убеждению, никак невозможно. Чтобы стать профессиональным поэтом, балетмейстером, художником, режиссером и вообще творцом новых идей, необходимо иметь ярко выраженную генетическую склонность, а потом дополнить ее прохождением хорошей школы, при наличии обязательной и редкой работоспособности.

Так вот, Роман Самгин, может быть и не сразу, но обнаружил ярко выраженную генетическую склонность или, проще говоря, режиссерский талант, а интенсивную работоспособность почувствовал или приобрел сразу. На мою педагогическую долю осталась режиссерская коррекция по линии мастерства, общетеатральной культуры и обязательные азы постановочного ремесла. По поводу ремесла можно потом скептически ухмыляться, но знать некоторые закономерности в нашей профессии, некоторые тактические и стратегические приемы — необходимо. Во всяком случае до той поры, когда собственной успешной практикой не опровергнешь того, о чем тебе талдычил твой учитель.

Самгин, обучаясь на режиссера, поначалу ничем особенным меня не удивлял, пока в качестве режиссера-стажера при моей мастерской вдруг не поставил со студентами выпускного курса «Бешеные деньги» А.Н.Островского. Здесь я с изумлением обнаружил эстетически сбалансированную, волевую, остроумную режиссуру на пустом сценическом пространстве без мебели и почти без реквизита. Ставка была сделана на «драматургию биологических процессов». Герои его спектакля пребывали в сложной и постоянной динамике комедийных метаморфоз. И материалом для цепочки психологических, нервных, пластических процессов, носящих спонтанный, непредсказуемый характер, служили психические, эротические, нервные, неврастенические завихрения человеческого интеллекта и его подсознательных комплексов. Почти все исполнители «Бешеных денег» обрели у Самгина ярко выраженную комедийную заразительность. Через год в режиссерском сочинении Самгина, чеховском «Юбилее», эта самая заразительность была уже на порядок выше. Одноактную шутку Чехова играли только участники режиссерской труппы, и все они, вне зависимости от их актерских способностей, выглядели крайне убедительно. Я бы сказал, на редкость культурно, без примеси актерского дилетантизма, часто свойственного студентам-режиссерам, когда они выступают на студенческой сцене в качестве актеров.

Успехи Самгина совпали с периодом моих тревожных раздумий о судьбах московского Ленкома в сфере его режиссерского будущего. Не то чтобы я собрался назавтра умирать, но мысли о режиссерской профессии вообще стали носить у меня скептически-пессимистически-апокалиптический характер. По Бердяеву, это вообще наша российская склонность — постоянно находиться в ожидании апокалипсиса. В последние годы обнаружилось, что надежно работающих режиссеров и у нас, и за рубежом совсем немного. А уж людей, могущих возглавлять репертуарный театр и вести его стабильно в качестве художественного лидера — вообще можно пересчитать по пальцам.

Перешагнув шестидесятилетний порог я, конечно, помнил о В.И.Немировиче-Данченко, который мог ставить замечательные спектакли и в восемьдесят лет, и тем не менее оптимизм, связанный с постановочной дееспособностью этой феноменальной личности, все чаще начинал восприниматься мною как радостное исключение из общих правил и закономерностей режиссерской профессии.

Навязчивая идея о долголетии московского Ленкома вне зависимости от моей личности стала с некоторым деликатным беспокойством свербеть в моих мозгах, а то и просто стучаться в темечко.

Я предложил Самгину принести в театр идеи для его режиссерской работы. Предложение это было сделано с некоторым внутренним содроганием не потому, что меня беспокоил комплекс режиссерской ревности или что-то на это похожее, без чего абсолютно обойтись в театре, думаю, невозможно. Меня беспокоила мысль, наиболее четко сформулированная однажды Александром Збруевым. Звучала она примерно так: «Это — ваш театр. Все мы хотим работать только с вами. Так исторически сложилось. С известным, имеющим имя режиссером мы репетировать еще, пожалуй, согласимся, но вот с молодым, начинающим — не хотелось бы». Это смягченный пересказ збруевского монолога и царящих в театре настроений. Попытки в прежние годы привлекать к работе молодых режиссеров заканчивались у нас печально, поэтому принесенные Самгиным названия будущих спектаклей изначально вызвали во мне подлую неуверенность, впрочем, хорошо замаскированную от молодого режиссера.

Наибольший, хотя и не бесспорный интерес вызвала у меня только «Филумена Мартурано». Желание немедленно и одобрительно кивнуть сдерживал знаменитый вахтанговский спектакль 1956 года с Рубеном Симоновым и Цецилией Мансуровой. Фильм, снятый по этой пьесе, меня не беспокоил, но вот само заграничное название пьесы вызывало привычную идиосинкразию. С послевоенных лет, когда киностудии страны и, в особенности киевская, имени Довженко, дружно специализировались на разоблачении нравов современной, пагубной для человека зарубежной жизни, я непроизвольно вздрагивал, наблюдая, как наши артисты и режиссеры погружались в нюансы «ихних» бытовых ужасов. Понимаю, что здесь я очень субъективен, возможно, погряз в заблуждениях, но поставить пьесу, где прозвучат реплики типа: «Джонни, мальчик мой!» или «Мэри! Что ты будешь пить, моя крошка?» — я никогда не сумею. В этом смысле от самого названия пьесы, предложенной Самгиным, у меня началось поначалу неприятное внутреннее помутнение. Подвести, однако, под свои режиссерские комплексы научно-эстетическую базу я никак не хотел, и поэтому в процессе некоторой психологической адаптации мы с Самгиным договорились, что остроумно написанная итальянская пьеса должна называться иначе, и первые иностранные имена прозвучат со сцены, как минимум, через полчаса после начала спектакля. Кроме того, несколько успокаивало то обстоятельство, что «Филумена» уже не имела прямого отношения к итальянскому неореализму, который наше поколение досконально изучило на примере знаменитых послевоенных фильмов Р.Росселини, Л.Висконти, В.Де Сика. Пьеса замечательного драматурга, питаясь изнутри биотоками итальянской комедии «дель арте» (комедии масок), избежала погружения в натуралистические нюансы послевоенной итальянской разрухи, а являла собой пример несколько анекдотического, но вместе с тем пронзительного исследования вечных человеческих мук и радостей.

Желанию взяться за «Филумену» способствовали в наибольшей степени два главных обстоятельства: в пьесе были прекрасные роли для Инны Чуриковой и Армена Джигарханяна. Второе немаловажное обстоятельство — повод для создания «суперстаромодной» сценографии. Идея давно носилась в моем воспаленном воображении, и вот, наконец, представился эстетически обоснованный повод для декорации в стилистике 30—50-х годов. Долгие годы увлекаясь вместе с Олегом Шейнцисом разного рода фантасмагорическими конструкциями, мы в последнее время дружно мечтали о неожиданном сценографическом зигзаге, включая настоящую мебель, деревянные стены, стекло и такой допотопный, старомодный элемент театрального зрелища, как занавес. Мне показалось, что в последние годы зритель, и не только нашего театра, несколько утомился от общетеатрального сценографического авангардизма и что он наверняка обрадуется ностальгическим эмоциям. Все-таки первые театральные радости у шестидесятников, да и тех, кому сейчас от тридцати до пятидесяти, связаны с ныне ненавистным нам соцреализмом.

Конечно, по взаимной договоренности с Самгиным и Шейнцисом речь могла идти только о новом эстетическом витке «супернатурализма», или как его обозвал Виталий Вульф — «неоконформизма». Мы вознамерились ликвидировать в декорации любые проявления бутафории, и здесь надо отдать должное мужеству нашего директора М.Б.Варшавера, нервная система которого хотя и дрогнула, но все же устояла перед сметой предстоящих расходов.

Лишний раз я убедился в том, насколько тонкие сигналы окружающего мира способен воспринимать человеческий глаз. По большому счету, зрителя нельзя обмануть, подсунув ему на сцене стол из столярной мастерской театра вместо стола антикварного или просто пожившего на свете и послужившего людям не одно десятилетие. Зритель может не обратить на это внимания, но подсознание его всегда фиксирует происхождение и качество любого предмета, находящегося на сцене, включая одежду артистов.

В отношении ловко повешенного Шейнцисом занавеса мне показалось, что молодые артисты Ленкома в первое время даже испуганно от него шарахались. Вещь для них незнакомая — много лет не видели.

Мы договорились с Самгиным о новом переводе пьесы Эдуарде Де Филиппе и даже раздобыли итальянский первоисточник. Хотя, если честно, мы просто заново пересказали сюжет знаменитой пьесы, что до нас уже не раз случалось в истории мирового театра. Кое-какие сюжетные мотивы мы убрали, что-то придумали заново, включая диалоги и некоторые драматургическое построения. Зная, что в финале зрители должны если и не заплакать, то, во всяком случае, почувствовать приближение слез, мы постарались сделать спектакль с множеством комедийных ситуаций, нам было важно, чтобы зрители много смеялись. Это нам удалось, причем не за счет откровенно придуманных шуток, так называемых «реприз». Репризы существуют у нас в весьма ограниченном количестве — обилие смеха, переходящего в радостные аплодисменты, родилось в этом спектакле на принципиально иной комедийной основе. Разумеется, я не хочу ничего упрощать и наукообразно раскладывать постановочные и актерские акции «по полочкам», но сказать о некоторых принципиальных способах создания комедийной ситуации на сцене как раз намереваюсь.

Не порывая с некоторыми элементами огрубления этой непростой театральной проблемы, хочу заметить, что смешным сценическое действие становится в том случае, когда группа одаренных комедийных артистов, не скрывая своего эксцентрически-комедийного настроя, обрушивает на зрителя веселый шквал гротесковых проделок и сдабривает его изрядной долей текстовых шуток. Это прекрасное и трудное ремесло, где основная сложность состоит в том, чтобы, находясь на пределе своих комедийных возможностей, не скатиться в низкопробное «комикование» или, попросту, в дешевую клоунаду.

Этот способ комедийного настроя иногда приносит особую радость и зрителям, и актерам. Примерно в этом ключе выстроен наш «Безумный день, или Женитьба Фигаро». Мы изначально не скрываем своих намерений — развеселить себя, а заодно и зрителей. Этот спектакль живет в репертуаре довольно долго и каждый раз обнаруживает свою устойчивую праздничную заразительность, сопровождаемую обязательным хохотом и взрывами аплодисментов.

Продолжая несколько упрощать проблему, скажу и об ином комедийном контакте со зрителем. Этот второй принцип требует изначально анекдотической ситуации, то есть того драматургического каркаса, который именуется «комедией положений». Скажу сразу, что этот принцип сегодня кажется мне более предпочтительным и интересным. Артисты на сцене не дают повода заподозрить их в желании во что бы то ни стало рассмешить зрителя, они всерьез занимаются своими проблемами, а то что это приводит к комедийному восприятию ими содеянного — это, как говорится, не их проблемы, а зрителей. Конечно, такой способ требует изощренного комедийного мастерства, но смех в зале при этом возникает все равно в результате серьезных устремлений. Артист в таком спектакле ни в коем случае не должен быть уличен зрителем в желании его рассмешить... Да, получается смешно, иногда очень, но «не по вине артиста или режиссера». Именно с таким настроем Самгин приступил к работе, к которой довольно скоро подключился я, чтобы самортизировать многие сложности, возникающие при первом вхождении молодого режиссера в сложившийся коллектив репертуарного театра, да еще при обстоятельствах, когда на главные роли назначены такие фигуры, как Чурикова и Джигарханян.

Участие в работе над «Городом миллионеров», помимо обязательного крайнего серьеза всех исполнителей, подвигнуло меня к скрупулезной разработке еще одной психической особенности, свойственной даже уравновешенным людям. Впрочем, употреблять понятия «уравновешенный» или «хладнокровный» применительно к героям Эдуарде Де Филиппе не приходится. Персонажи пьесы оказались людьми до крайности импульсивными и вспыльчивыми. И вот эти самые механизмы спонтанной неуравновешенности и стали дополнительным комедийным механизмом спектакля. Причем дело вовсе не только в итальянском характере, — скорее, в том, что в экстремальных ситуациях наши эмоции часто опережают отпущенные нам Богом интеллектуальные возможности. Короче, режиссуре спектакля, по-моему, удалось соединить крайний реализм и серьез актерского сценического существования с его психическим несовершенством. Сценические характеры, постоянно попадали в экстремальные ситуации, превышающие запас их психической безопасности. На репетициях и позднее, на первых спектаклях, я очень часто говорил Армену Джигарханяну: «Да, твои интеллектуальные ресурсы отстают от нахлынувшего на тебя вихреобразного темпоритма, и это самое интересное»; «Да, сосуды головного мозга у твоего героя пошаливают. Скорость мозговых процессов предательским образом отстает от эмоциональных потребностей».

Думаю, что театр Абсурда в своих комедийных аспектах опирается именно на эти особенности человеческого мышления: сказать что-то хочется, иной раз необходимо, а в голове, как назло, ни одной подходящей мысли. В отношении Чуриковой и Джигарханяна я стал применять такие режиссерские призывы: «После этих ваших слов движение спектакля катастрофически останавливается. Почему? В уставших мозгах закончилась «программа». Временный «столбняк». Волнение осталось, даже усилилось, а новых идей в голове не рождается».

К этим глубоко скрытым комедийным механизмам очень достоверно и смешно подкрадывался в свое время Гоголь. Интеллектуальных ресурсов Хлестакова хватило ведь только на вопрос к Пушкину: «Ну что, брат, Пушкин?» А вот при ответе Пушкина извилины у Хлестакова дали сбой! Они вполне могли бы выбросить какой-нибудь уморительный вздор, но, израсходовав всю энергию на предшествующий монолог, выдали «перебой в программе». Гениальный Пушкин, по словам Хлестакова, сумел ответить лишь: «Да так как-то все, брат... так как-то все...» Это явный брак, временный провал при интенсивном мышлении. Вещь, характерная не для одного только Хлестакова.

Плохая, неадекватная работа мозга при крайней необходимости четкой работы — мощный комедийный импульс. Здесь режиссер, не прибегая к явной клоунаде, лишь использует живые узнаваемые механизмы человеческого мышления вместе с их все чаще встречающимися аномалиями.

Название «Город миллионеров» произошло от пьесы Эдуарде Де Филиппе «Неаполь — миллионер», переведенной у нас в свое время как «Неаполь — город миллионеров». В слове «миллионер» проступает явно ощутимый иронический оттенок. Это слово в послевоенной Италии, вероятно, воспринималось примерно с таким же юмором, с каким оно всегда воспринималось в России. Правда, у нас еще к этому понятию примешивается сильная социальная неприязнь, плавно переходящая во всенародный гнев. Весьма сомнительный финансовый достаток главного героя в «Городе миллионеров» воспринимается нами как некие комедийные притязания на материальное всемогущество и перерастает в завышенные критерии по отношению к себе и к своим будущим усыновленным детям. В нашем спектакле исподволь возникает мысль о том, что миллионером может почувствовать себя всякий человек, обретший в жизни непреходящие ценности, — например, семью или любимую профессию. Главный герой нашего спектакля, в традиционном смысле, не миллионер, но заполучивший в жены любимую женщину и трех усыновленных им ее сыновей, он может и даже должен мысленно подняться до привычных в обществе понятий богатого и преуспевающего человека. Каждый человек, прикоснувшийся к счастливым мгновениям собственной жизни, может обозвать себя миллионером.

Думаю, что это веселое, но по-человечески понятное заблуждение может также вполне коснуться и режиссера, достигшего определенного успеха в своей профессии. Человек, занимающийся в нашем многострадальном и достаточно нищем обществе любимым делом, добившийся известности и признания коллег и ускользнувший от нищеты, может при желании именовать себя миллионером, конечно, избегая широковещательных заявлений, ибо в обществе победившего криминала это попросту опасно.

Короче, каждый суперпрофессионал — миллионер. Естественно, по своему общественному (нематериальному) статусу. Вообще, россиянин вызывает у своих сограждан законную симпатию только в том случае, если он беден как церковная крыса и перебивается с хлеба на квас. Именно в этом случае в массовом сознании он считается хорошим человеком. Думаю, что это генетически устойчивое свойство нашей ментальности сыграет роль мощного экономического тормоза во всевозрастающем желании жить не глупее других народов. Человек, добившийся благосостояния, в российском народном сознании подлежит уничтожению. Когда мы читаем в газете очередной «ужастик» о каком-нибудь страшном убийстве и в последних строках обнаруживаем, что покойник занимался бизнесом, — у читателей как гора с плеч. Почти всенародное облегчение. Общинно-иждивенческие комплексы так далеко и прочно проникли в наши души, что мы с ними, по-моему, никогда в обозримом будущем не сможем работать и развивать свою экономику — даже по сравнению с не слишком шустрыми прибалтами. Я уже не говорю о других народах, которые хорошо понимают в своей массе, что чем больше будет в их стране богатых людей, тем богаче будет страна. С огромным трудом мы, может быть, и сможем понять это когда-нибудь теоретически, но практически будем стремиться к перманентному отстрелу преуспевающих предпринимателей, их разорению, дележу принадлежащей им собственности, словом, к врожденным лагерным побуждениям, которые не позволяют человеку, долгие годы проживающему в рабстве, стать свободным человеком. Свобода — тяжкая ноша, и любой автор о ней задумывается, о чем бы он ни писал.

Возвращаясь к «Городу миллионеров», обязан еще раз сказать несколько слов об Армене Джигарханяне. У него, как и у Инны Чуриковой, родилась бенефисная роль. Но о Чуриковой я писал много и часто, она — один из признанных лидеров в современном театре и кинематографе, обладательница большого числа наград и премий, главная актриса московского Ленкома. Джигарханян же — явление в нашей труппе в некотором роде новое. «В некотором роде» — потому что он в прошлом несколько лет проработал в Театре имени Ленинского комсомола при А.В.Эфросе, потом еще некоторое время после его увольнения, и только в 1997 году вновь вернулся в театр, который его когда-то пригласил в Москву. Точнее, это сделал не театр, а Эфрос, а если еще точнее — актриса Ольга Яковлева. По рассказам, именно она заметила в Ереване талантливого молодого артиста и посоветовала Эфросу не проходить мимо этой многообещающей личности. Эфрос и не прошел и преподал недолгие уроки своему новому ученику, который переиграл в Ереване множество ролей.

По моим наблюдениям, вписаться в театральную жизнь Москвы артисту из другого региона возможно лишь в молодости. Потом наступает некоторый возрастной, может быть психологический, рубеж, после которого вновь испеченный москвич, как правило, чувствует себя в московском театральном мире чужеродным телом. Он может очень стараться, напрягать все силы для сценического штурма, но чем больше расходует сил, тем меньшего эффекта добивается. А Джигарханян приехал в Москву вовремя. Немного поработав без Эфроса, он принял предложение от А.А.Гончарова и перебрался в Московский Академический театр имени Вл.Маяковского, где и состоялось в 1970 году наше знакомство. Я ставил «Разгром» по Фадееву, а Джигарханян вскоре заменил на репетициях одного из назначенных ранее артистов в центральной роли Левинсона.

О многих перипетиях, связанных с этим спектаклем, уже подробно рассказывал, пытался поведать и об особом энергетическом излучении Джигарханяна, а вот о его весьма своеобразной трагикомической заразительности, о его откровенно комедийной органике сказать постараюсь именно сейчас.

Я заметил эту его актерскую особенность не сразу, хотя видел не раз Джигарханяна на экране в вихрях эдакого комедийного фейерверка, где он не скрывал своего дурашливого умонастроения пополам с шаржированной пластикой. Я не слишком серьезно относился к его прошлым комедийным опусам, но теперь понимаю, что с их помощью он интенсивно обогащал свой актерский организм, как иногда люблю выражаться, на клеточном уровне.

В период наших репетиций «Города миллионеров» я весьма скоро узрел в его повадках и актерском мышлении нечто чаплинское. Были отдельные репетиции, где мы много спорили, но все же чаще — работали, искали, изучали «неиспользованные ресурсы» его актерского организма. Мне казалось, что иногда он сам с некоторым удивлением обнаруживал в себе что-то, о чем не подозревал ранее. Я не уверен в своей стопроцентной правоте, но юмор Джигарханяна, как чисто внешний, основанный на своеобразной пластике, так и глубоко внутренний, запрятанный глубоко в недра подсознания, был уже внутренне сформирован. Мне оставалось только давать осторожные советы и иногда настаивать на некоторых мизансценах. Впрочем, очень многое придумал он сам, ибо, как и Чурикова, этот артист обладает поразительным импровизационным даром.

Я запомнил одну из репетиций и один из первых спектаклей, когда испытал своеобразное потрясение, то есть увидел на сцене то, чего никогда прежде не видел. Я имею в виду сцену с тремя усыновляемыми ребятами во втором акте. Дон Доминико в исполнении Джигарханяна так волновался, точнее боролся с волнением, впервые близко общаясь с неизвестными ему подростками, так старался им понравиться и одновременно определить, кто из троих его сын, что актерский организм Армена совершал на моих глазах серию акций из разряда «высшего актерского пилотажа». Его волнение гипнотизировало, подвергало в хохот и озадачивало. Вероятно, к сложным нервным процессам присоединялись еще какие-то очень тонкие, но вместе с тем все-таки ощутимые механизмы особого психологического воздействия. Я имею в виду излучаемую Арменом «психическую энергию». Беру это не слишком достоверное в академическом плане понятие в кавычки, ибо это из терминологии Н.Рериха. Что такое чисто нервная заразительность мы в общих чертах понимаем, но что такое по Н.Рериху «психическая энергия» — четко сформулировать пока не умеем.

Как всегда, гуляют во мне некоторые утопические

идеи. Размышляю о появлении в наступающем тысячелетии особого прибора, подобии детектора лжи, где можно было бы за счет датчиков установить сверхплотную обратную связь исключительно для совершенствования актерского мастерства, точнее некоторых его составляющих. О каких-то похожих методологиях в современной медицине я уже где-то читал, но вот о приборе для тренировки плохо изученных и вообще проблематичных возможностей человека пока можно только мечтать. Находясь с таким прибором в плотном визуальном контакте, полагаю, любой человек может научиться видоизменять частоту сердцебиения или величину артериального давления. Но вот пойти дальше и глубже, в те сферы, куда заглядывают только некоторые виртуозы, занимающиеся аутотренингом в его самых высших проявлениях, — здесь необозримое и загадочное поле для самых смелых фантазий.

Джигарханян мои путанные размышления о подключении к делу «психической энергии» полностью разделил, привел интересные примеры из собственной сценической практики, согласился, что его подобного рода загадочные психические механизмы посещают нестабильно, от случая к случаю. Он признался, что надежно управлять такого рода процессами на каждом спектакле не в состоянии... Словом, подарил истинное творческое единомыслие и даже никак не расстроил, потому что я все-таки не однажды наблюдал это чудо. Я его зафиксировал в своей режиссерской памяти и отнес к самым ценным подаркам, полученным мною когда-либо от любимого артиста.

Еще одно важное обстоятельство сделало нашу работу над «Городом миллионеров» явлением неслучайным, очень повысило мою личную заинтересованность в этом театральном проекте, прибавило режиссерского упрямства и даже, возможно, вдохновения. Оно, вероятно, подтолкнуло нас к идее резкого уменьшения возраста сыновей Филумены. У Эдуардо Де Филиппо сыновья Филумены — взрослые люди, один даже имеет собственную семью и детей. Мне и Роману Самгину показалось, что важность усыновления, иными словами — обретения законной и полноценной семьи, имеет далеко не одинаковую значимость для двадцатилетнего и двенадцатилетнего человека. Отчий дом крайне необходим именно в детстве, поэтому на нашей сцене появились подростки, сверстники тех, кого мы так часто теперь встречаем на улицах Москвы: торгующих между автомобилями пачками газет, книгами, цветами, подозрительно мелькающих на вокзалах и подземных переходах.

На первых порах московские школьники, которых мы пригласили в спектакль, чувствовали себя скованно и не всегда умели совладать с волнением — все-таки их партнерами оказались Чурикова и Джигарханян. Та естественность и органика, которых, как мне показалось, мы добились на последних репетициях, вдруг стали у наших молодых друзей ускользать, и замаячил дилетантский звуковой привкус. Но, надо отдать должное ребятам и, конечно, Самгину, который вложил в них изрядную порцию режиссерской и педагогической воли, — через два-три спектакля наши юные артисты обрели уверенность и столь дорогой для этого спектакля режим естественного, правдивого существования пополам с той наивной мальчишеской искренностью, которая при определенных обстоятельствах свойственна детям.

С появлением на сцене Ленкома подростков-непрофессионалов для меня связан еще один пласт режиссерского замысла. Во имя чего в конечном счете мы ставили этот спектакль?.. Я уже признавался, что решающим в данном случае, как, впрочем, и во многих других, являлось желание занять ведущих артистов в таких ролях, где они могли бы наиболее эффектно продемонстрировать свою уникальность и, главное, некоторые новые нюансы из числа неиспользованных прежде особенностей их актерского естества. Очень важное обстоятельство — жанр пьесы, где комедийные построения тесно переплетались с мелодраматическими мотивами высокого качества. У драматурга было то, что издавна так дорого ценилось в русском театре, — было где вдоволь посмеяться и поплакать. Не я один заметил, что зритель готов расплакаться лишь в том случае, если до этого он много смеялся. А стало быть, сознательно или бессознательно, полюбил тех людей, что доставили ему эту радость. Был также повод для неожиданного погружения в новую для ленкомовского зрителя сценографическую стихию «неоконформизма». И было, конечно, еще то, что, хочу я того или нет, всегда присутствует в спектаклях нашего театра, — некая политическая подоплека. В отдельные подцензурные годы эта связь театрального сочинения и общественно-политической ситуации в стране доходила до степеней острой публицистической атаки, но часто режиссерская политизированность обретала и ненавязчивый, деликатный характер, почти исчезая, прячась в недрах актерского бытия, когда режиссерские акценты перемещались в самые потаенные сферы «жизни человеческого духа». В «Трех девушках в голубом» Л.Петрушевской, спектакле, который в течение четырех лет запрещался цензурой, отсутствовали какие-либо намеки на публицистический или сатирический пафос. И все-таки этот пафос существовал, разумеется в ином эстетическом, психологическом ракурсе, и цензурный аппарат, который не всегда был глупым, справедливо чувствовал это. Мы рассказывали о нашей жизни нечто такое, что предписано было тщательно скрывать.

Существовала ли некая политическая подоплека в режиссерском замысле «Города миллионеров»? В моем, быть может несколько наивном и субъективном, восприятии — безусловно. Появление полубеспризорных сыновей Филумены в возрасте 12—15 лет для меня и Романа Самгина — не простая прихоть людей, желающих во что бы то ни стало пересказать пьесу знаменитого драматурга своими словами. Лично мне показалось, что здесь мы прикоснулись весьма осторожно и ненавязчиво к проблеме, которая почти не имела в нашей театральной традиции ярких сценических воплощений. Посему придется сейчас употребить чужой заграничный термин — «семейные ценности». К моему стыду, долгие годы это словосочетание вызывало во мне плохо маскируемую скуку. То есть, заслышав или прочитав о значении для человечества так называемых семейных ценностей, я, конечно, понимающе кивал головой, однако, всегда эти ценности ассоциировались у меня со скучной школьной нотацией. Все-таки вести себя в жизни так, как тебе вздумается, представлялось мне делом справедливым и естественным. Тут, как у Е.Шварца в «Обыкновенном чуде», можно многое свалить на дурную наследственность, на деформацию мозгов идеологией тоталитарного государства, где семейная «ячейка» не могла даже мечтать о сравнении — по своей общечеловеческой значимости — с государственным «ульем».

Однако за последние годы в стране и в отдельно взятых мозгах, в частности в моих собственных, произошли резкие и необратимые изменения. Мы получили возможность узнать многое из того, о чем прежде знать не могли и даже в массе своей не мечтали. Правильнее —

не задумывались. Государство, подаренное нам политическими экстремистами криминально-большевистского розлива, оказалось не просто в своей основе ущербным, но оно прямо на наших глазах удручающим образом продолжило усиливать это свойственную ему изначальную ущербность, медленно расползаясь и разваливаясь

Сравнительно недавно я узнал, что в нашей стране сейчас свыше четырех миллионов «выброшенных» детей. Как правило, в самом прямом смысле этого слова. Мы имеем несколько миллионов у беспризорников при живых родителях. Самой страшной для меня новостью в последние годы была информация об отсутствии в развитых странах детских домов. Если, допустим, в Швеции ребенок остается без родителей, то всегда находится множество его соотечественников, готовых принять этого ребенка в семью. Отсутствие в цивилизованных странах детских домов, с моей точки зрения, — жесткий удар по чести и достоинству российского государства. К сожалению, эта страшная проблема, хотя и связанная в какой-то степени с экономикой, — отнюдь не экономическая. Похоже, она имеет прямое отношение к отрицательной динамике российского этноса. Л.Н.Гумилев, ученый, посвятивший жизнь изучению этногенеза, оставил для нас, современных россиян, малоприятные формулы: «...В процессе освоения ландшафта общность (этнос. — М.З.) формирует новый уникальный «стереотип поведения». Это понятие, включая в себя особый способ деятельности, отношения к миру, характеризует этнос как носителя определенного культурного типа».

Из всех сложнейших экономических ситуаций, включая, допустим, голод и полнейшую послевоенную разруху в Германии, существуют теоретические и практические, математически обоснованные схемы выхода и экономического выздоровления. Бесспорно, существуют такие схемы и для российской экономики. Но какие математические рецепты могут существовать для людей, выбрасывающих своих детей на улицу, иногда прямо из родильного дома — сказать наша наука пока не в состоянии. В связи с чем и залетают в голову помимо воли подлые мысли о глубинном распаде нашего этноса.

Меньше всего я хотел бы в заключение повторить уже хорошо известные всем постулаты о бережном отношении к культуре — как в ее материальном, так и в смысле тех ценностей, что лежат в сфере самого духа нации, ее ментальности. Здесь все без исключения всегда кивают головами, соглашаясь с важностью культурных институтов, хотя и не понимают до конца, что культура сама по себе не есть система украшений, эдаких инкрустаций на экономически прочном теле государства. Культура, увы, нечто большее, слишком плотно связанное с тенденциями исторического развития народа, в данном случае зримой его деградации, в том числе демографической. Остается молить Бога, чтобы толпы все умножающихся «лишних» людей в России, включая младенцев и подростков, оказались бы порождением ограниченного во времени исторического кризиса, чтобы пагубные тенденции в нашем культурном самосознании оказались бы трещинами, а не смертельными «тектоническими» сдвигами.

Этот очередной поток сознания я бы хотел превратить в заключительный. Христианскому мышлению свойственна тяга к покаянию. Я не могу отнести себя к людям безупречного христианского мировосприятия; слишком поздно крестился, остро ощущаю личностные пробелы в духовной и ритуальной системе основополагающих православных ценностей. Но посмотреть на свои писания с одной только иронией, но и с ядовитым сарказмом — невообразимо тянет. Откуда это из меня выскочило: «суперпрофессия»? То, что «супер» — эрзац и полусленг, стало ясно уже в середине написанного. Вероятно, эта лексическая химера вырвалась у меня от подмены красивого красивостью. Честно говоря, не очень этого от себя и ожидал, потому что ненавижу и вздрагиваю от многих сомнительных словесных новообразований. «Прикольная, крутая тусовка» — для моего языка вещь невозможная, хотя бы потому, что слово «тусовка» почерпнуто культурным слоем нашего общества из лексикона проституток. Это мне объяснил хорошо осведомленный ученый-филолог. Но очень хочется иногда прыгнуть выше головы. Нахлынувшие на тебя чувства легко перерастают не в гордость за профессию, но — гордыню. (Кстати, распространенное профессиональное заболевание.) Вероятно, где-то в недрах подсознания возникло желание подменить высокое профессиональное самоутверждение, к которому обязан тянуться любой режиссер, плакатным «слоганом».

А если копнуть глубже и больнее — может быть, это еретический суррогат некоторых подспудных религиозных поползновений? Впрочем, изображать из себя раскаявшегося грешника не хочу. Таковым себя не считаю. Не потому, что безгрешен, а потому, что серьезных грехов за собой не числю. Хотя еще надо подумать хорошенько, где она, та самая граница, что отделяет грехи несерьезные от серьезных.

Наверное, очень хотелось красиво определить подаренное мне судьбой земное предназначение. А оно все-таки, по-трезвому размышлению, лежит за пределами театра, и режиссерские экзерсисы не есть мерило человеческой силы и глубины. Категории эти лежат ближе к той, пусть несколько анекдотической системе человеческих взаимоотношений, которых коснулся итальянский драматург Эдуардо Де Филиппо, затронув сквозь смех и слезы высшее предназначение человека, не отягощенного мессианскими комплексами всемирного или сугубо профессионального преобразования. «Дети есть дети», — говорит и снова повторяет в нашем спектакле Филумена Мартурано. А как можно сказать лучше, даже в том случае, если это не твои собственные дети, но дети нашей общей Земли — маленькой и хрупкой планеты? Вот такой финальный поток созна... принципиально не хочу заканчивать, потому что тешу себя надежной на продолжение и мыслей, и профессиональных мечтаний. Тем, кто все-таки добрался до этой фразы, спасибо за долготерпение.

СОДЕРЖАНИЕ

**Марк Анатольевич Захаров
Суперпрофессия**

РЕДАКТОР
В.П. Кочетов
ХУДОЖЕСТВЕННЫЕ РЕДАКТОРЫ
С.А. Виноградова, О.Н. Адаскина (АСТ)
ТЕХНОЛОГ
С.С. Басипова
КОМПЬЮТЕРНАЯ ВЕРСТКА СУПЕРОБЛОЖКИ
И БЛОКА ИЛЛЮСТРАЦИЙ
А.Е. Стрелков, С.В. Белов
КОМПЬЮТЕРНЫЙ ДИЗАЙН
С.В. Барков (АСТ)
ОПЕРАТОР КОМПЬЮТЕРНОЙ ВЕРСТКИ
И.В. Соколова
П. КОРРЕКТОРЫ
В.А. Жечков, С.Ф. Лисовский

Издательская лицензия № 065676
от 13 февраля 1998 года.
Налоговая льгота —
общероссийский классификатор продукции
ОК-005-93, том 2; 953 000 — книги, брошюры
Подписано в печать 27.07.2000.
Формат 60 × 90/16. Гарнитура Таймс. Печать офсетная.
Объем 18 печ. л. Тираж 10 000 экз. Изд. № 1398.
Заказ № 3919.

Издательство «ВАГРИУС»
129090, Москва, ул. Троицкая, 7/1
Электронная почта (E-Mail) — vagrius@vagrius.com

Отпечатано с готовых диапозитивов
в Государственном ордена Октябрьской Революции,
ордена Трудового Красного Знамени Московском предприятии
«Первая Образцовая типография»
Министерства Российской Федерации по делам печати,
телерадиовещания и средств массовых коммуникаций.
113054, Москва, Валовая, 28.

Оптовая торговля:
Эксклюзивный дистрибьютор издательства «Клуб 36'6»
Тел./факс: (095) 265-13-05, 267-29-69, 267-28-33,
261-24-90, 523-25-56, 523-92-63
E-mail: club366@aha.ru

Фирменный магазин «36'6 — Книжный двор»:
(мелкооптовая и розничная торговля)
Тел.: (095) 265-86-56, 265-81-93
Тел.: 523-92-63, 523-25-56. Факс: 523-11-10

Книжная лавка «У Сытина»:
Тел.: (095) 156-86-70. Факс: (095) 154-30-40
Интернет: http://www.kvest.com/mainmenu.htm
Электронная почта: sytin@aha.ru или info@kvest.com

Интернет-магазины:
http://www.kvest.com; http://www.24×7.ru

По вопросам оптовой покупки книг
«Издательской группы АСТ»
обращаться по адресу:
**г. Москва, Звездный бульвар, д. 21, 7-й этаж.
Тел.: 215-43-38, 215-01-01, 215-55-13**

Книги «Издательской группы АСТ» можно заказать по адресу:
107140, Москва, а/я 140, АСТ — «Книги по почте»

Получить подробную информацию о наших книгах и планах,
авторах и художниках, истории издательства,
ознакомиться с фрагментами книг,
высказать свои пожелания
и задать интересующие Вас вопросы
Вы сможете, посетив сайт издательства в сети
Интернет: **http://www.vagrius.com**

В СЕРИИ

ГОТОВЯТСЯ К ИЗДАНИЮ